Llyfr
HWIANGERDDI
y Dref Wen

Llyfr HWIANGERDDI y Dref Wen

John Gilbert Evans
Lluniau gan Jenny Williams

GWASG Y DREF WEN

Cyhoeddwyd dan nawdd
Cynllun Llyfrau Darllen
Cyd-bwyllgor Addysg Cymru
gyda chefnogaeth
Cyngor Celfyddydau Cymru.

Cyhoeddwyd gan Wasg y Dref Wen,
28 Ffordd yr Eglwys, Yr Eglwys Newydd, Caerdydd CF4 2EA
Ffôn 01222 617860.

Argraffiad cyntaf 1981
Adargraffiad 1995

Argraffwyd yn Hong Kong.

Cynnwys

GAIR I'R PLANT *Robin Gwyndaf* 6
CEFNDIR YR HWIANGERDDI 7
DIOLCHIADAU 11
YR HWIANGERDDI:
PAIS DINOGAD 13
AR LIN MAM 14
Enwi'r Bysedd 14
Y TEULU 24
CREADURIAID 34
PROFIAD 50
CYMERIADAU 64
AMSER A THYWYDD 76
DYSGU A CHWARAE 84
Yr wyddor 84
Cyfrif 86
Dysgu Saesneg 87
Posau 88
Clymau tafod 92
Chwaraeon 94
Doethineb 95
Cyfrif allan 96
Cyfarchion 97
Dannedd 97
LLEOEDD 98
FFWLBRI A FFANTASI 102
NODIADAU 114
MYNEGAI I'R LLINELLAU CYNTAF 123
MYNEGAI DETHOL I'R ENWAU LLEOEDD 127
GEIRIAU ANGHYFARWYDD 128

Gair i'r Plant

"Mi ddweda' i ti stori: hen gaseg yn pori" – meddai un hen rigwm. A stori fach sydd gen innau i ddechrau – hanesyn, yn wir. Bymtheng mlynedd a mwy yn ôl arferwn ymweld â theulu arbennig yn Aberystwyth, a chofiaf yn dda y croeso a gawn bob tro gan y crwt lleiaf. Fel y cerddwn i'r tŷ diflannai'n sydyn i rywle, fel petai'n dalp o swildod. Ond mi wyddwn yn dda am ei giamocs! Yr oedd yn gastiau i gyd, a deuai i'r golwg ymhen sbel gan sbecian heibio cornel y drws yn gellweirus a thaflu dau lygad mochyn tuag ataf. Yna, fel ergyd o wn, gwaeddai nerth esgyrn ei ben:

Robin di-rip
Â'i geffyl a'i chwip!

A ras unwaith eto, fel pe bawn am roi cosfa iawn iddo – chwip gen i, neu beidio. Ond fe ddychwelai toc, dow-dow, yn wên o glust i glust. A mawr fyddai'r hwyl wedyn.

Gan bwy y clywodd y crwtyn o Aberystwyth y rhigwm hwn tybed? Gan rai o blant eraill y dref, o bosibl, neu gan ei fam. Clywodd hithau ef, mae'n siŵr, gan ei rhieni hithau. A dyna yw'r rhigymau hyn: penillion syml sydd wedi cael eu hadrodd a'u canu, neu eu llafarganu, am genedlaethau, a'u trosglwyddo o'r naill berson i'r llall ar lafar gwlad, hyd at ein dyddiau ni.

Er mor syml yw'r penillion (neu, efallai, oherwydd eu bod yn syml), y mae'r dewis o air ac ymadrodd, yr ailadrodd crefftus ar adegau, a'r dewis o fesur, mydr ac odl, yn peri eu bod yn hyfryd i'r glust. A phethau i'r glust, yn bennaf, yn hytrach nag i'r llygad, yw'r penillion sydd yn y gyfrol hon. Felly, darllenwch nhw yn uchel, er mwyn ymglywed â sigl a swae y llinellau. Cewch oriau o bleser. Yn wir, difyrru yw prif amcan y mwyafrif mawr o'r cerddi. Ystyr wreiddiol y gair "difyrru" ydoedd byrhau, cwtogi. Hynny ydyw: difyrru – fel pan dorrwyd pen Ysbyddaden Bencawr gynt yn chwedl Culhwch ac Olwen; difyrrwyd yr hen gawr! Ond heddiw "difyrru'r amser" yw'r ystyr – byrhau'r oriau hir. Wrth i chwithau bori yn y gyfrol arbennig hon cewch weld bysedd yr hen gloc yna'n gwibio fel y gwynt. Dyna paham y galwyd y penillion hyn yn hwiangerddi. Cerddi hwian – cerddi i suo'r plentyn i gysgu – yw llawer ohonyn nhw, megis "Cysga di, fy mhlentyn tlws. . . Cei gysgu tan y bore". Os nad ei suo i gysgu, o leiaf ei gadw'n ddifyr. Beth yw un o'r pethau cyntaf y cofiwch ei ddysgu ar lin eich tad a'ch mam? Rwy'n siŵr y byddai hwiangerdd megis "*Gee*, geffyl bach. . ." yn bur uchel ar y rhestr.

Gan mai ar lafar y trosglwyddwyd yr hwiangerddi, y mae'n naturiol fod ffurf rhai ohonyn nhw yn amrywio o berson i berson. Oherwydd hynny cynhwyswyd yn y gyfrol hon fwy nag un fersiwn ar ambell bennill. (Trowch i'r cefn at y Nodiadau ac fe gewch weithiau ragor.) A dyna o leiaf un rheswm paham na wyddom, gan amlaf, pwy oedd awduron gwreiddiol yr hwiangerddi. Y maen nhw bellach yn eiddo i bawb – i blant ac oedolion, oherwydd er mai cyfrol i chi'r plant yw hon, yn bennaf, 'does neb mor hen (gobeithio!) fel na all fwynhau darllen, adrodd neu ganu'r penillion sydd ynddi.

A mwynhau hefyd lunio penillion tebyg iddyn nhw. Tybed a fuoch chi'n meddwl rywdro y gall ambell bwt o rigwm a gyfansoddwyd gennych yn ddigon byrfyfyr, ar hap megis, ymhen amser fagu traed a dechrau cerdded o ardal i ardal. (Pwy, ysgwn i, oedd y cyntaf i alw'r J.C.B. yn Jac Codi Baw?) Fy ngobaith i yw y bydd rhigymau tebyg i'r rhai sydd yn y gyfrol hon yn dal i gael eu cyfansoddi, nid yn unig ar destunau sy'n fythol newydd, megis hanes y "ddau gi bach yn mynd i'r coed", neu'r "ddau lanc ifanc yn mynd i garu", ond hefyd ar destunau sy'n perthyn yn arbennig i'n hoes ni, megis "dau lanc dewr yn mynd i'r lleuad" (fe gewch chi orffen y pennill!) A gwneud hynny yn Gymraeg. Y mae hwiangerddi a rhigymau, fel yr hen benillion telyn, ymhlith ein trysorau llenyddol cyfoethocaf ni fel cenedl, ac un rheswm am hyn yw oherwydd iddyn nhw gael eu creu (a'u hail-greu ar lafar) gan bersonau a oedd â'r Gymraeg yn bersain ar eu gwefusau – yn ystwyth a lliwgar.

Ceir hefyd un rheswm arall: y mae yn y penillion hyn ddarlun byw o hynt a helynt dyn, o febyd i fedd: ei ddifyrion a'i ddireidi a'i hoff anifeiliaid pan oedd yn blentyn; ei goelion, ei arferion, a'i holl droeon trwstan doniol pan oedd yn hŷn.

Pa ryfedd i gymaint o bersonau llengar yn ystod y ddau can mlynedd diwethaf fynd ati i gasglu a chyhoeddi hwiangerddi a rhigymau er mwyn eu trysori a'u cyflwyno i eraill? A dyna a wnaed gyda'r gyfrol werthfawr hon. Mae bodio'i dalennau fel ailgwrdd ag un teulu mawr, annwyl, a phob aelod ohono – yn anifeiliaid ac yn bersonau – yn gymeriadau byw, hoffus. A oes angen eu henwi? Y ddafad gorniog a'r tair llygoden ddall. Pwsi Meri Mew, druan, a chwrcyn Modryb Mali. Siân fach annwyl a Beti Bwt. Wil ffril ffralog a'r bachgen bach o Felin-y-wig. Taid a Nain "yn rhedeg ras", a'r hen wraig fach "â basged o wye". A llawer mwy!

I olygydd y gyfrol hon am ei weledigaeth a'i ddiwydrwydd yn dwyn aelodau'r teulu diddorol hwn ynghyd, mawr yw ein diolch.

Robin Gwyndaf

Cefndir yr Hwiangerddi

Yn ystod y bedwaredd ganrif ar bymtheg cyhoeddwyd casgliadau di-rif o geinciau, baledi, tribannau, penillion telyn, hwiangerddi, chwedlau a thraddodiadau. Ym marn D. Gwenallt Jones, "yr oedd y casglu aruthrol hwn yn un o weithgareddau ac un o gyfraniadau pwysicaf y ganrif ddiwethaf. Dyma gyfraniad gwerthfawrocaf y mudiad rhamantaidd."

Yn ail hanner y ganrif cyhoeddwyd nifer o gasgliadau o hwiangerddi. Yr oedd ambell un o'r hwiangerddi hyn wedi ymddangos eisoes mewn casgliadau o "hen benillion" yn hanner cyntaf y ganrif, ond ni wyddom ai fel hwiangerddi yr ystyrid hwy y pryd hwnnw. Cyhoeddodd Absalom Roberts (1780?–1864) ei *Lloches Mwyneidd-dra* yn 1832, a gwelir y penillion canlynol yn y llyfr hwnnw: "Hen wraig oedd yn gyrru gwyddau", "Roedd bwch yn nhroed yr Wyddfa" a "Siôn a Gwen sarrug y nos wrth y tân". Mae "Y Cobler Coch o Ruddlan" i'w weld mewn casgliad gan David Evans, Dolgellau, a fu'n fuddugol yn Eisteddfod Rhuddlan, 1850. Ymddangosodd tua chant o benillion yn *The Cambro-Briton* rhwng 1819 ac 1822. Cyhoeddwyd yr un casgliad, mwy neu lai, gyda thros drigain o benillion ychwanegol yn *Y Brython*, 1858–9. Ymhlith yr ychwanegiadau ceir "Mi feddyliais ond priodi" a "Mae yn y Bala flawd ar werth".

Un gŵr a fu'n ddiwyd yn casglu chwedlau, ceinciau a hwiangerddi oedd Ceiriog. Cyhoeddodd yn *Yr Arweinydd*, 29 Ionawr 1857, ei fod yn bwriadu cynnig gwobr am gasgliad o hwiangerddi. Dyma'r hysbysiad:

> "Ceiriog, 150 Tipping-street, Manchester, a ddymuna roi Caniadau Caledfryn yn wobr am y casgliad helaethaf a goreu o Hwian-Gerddi (Nursery Songs) Cymreig, neu chwedlau o'r un natur. Y casgliadau i'w danfon iddo ef erbyn y cynta o Fawrth nesaf."

Daeth pum casgliad i law yn brydlon a dyfarnwyd y wobr i "Hwian-gerddor mewn hen gyrddau", sef O. G. Williams, Bethesda. Yr oedd Ceiriog "o'r farn pe cyhoeddid y casgliad goreu yn yr 'Arweinydd' y byddai yn ddifyrwch anghyffredin." Yr oedd Tegai (Hugh Hughes, 1805–64), y golygydd, yn cytuno, ac felly ymddangosodd tair a thrigain o hwiangerddi o'r casgliad buddugol ar 26 Mawrth ac ar 9, 16 a 30 Ebrill 1857. Ymhlith y rhain yr oedd "Mae gen i ddafad gorniog", "Ladi fach benfelen" a "Gŵydd o flaen gŵydd". Mewn nodyn at y golygydd, dywedodd Meurig (y cymeriad dychmygol a grewyd gan Ceiriog) fod y casgliad buddugol, ac eithrio un chwedl, wedi ei gyhoeddi i gyd.

Yr oedd Ceiriog wedi rhagweld y byddai cryn farnu arno, a cheisiodd amddiffyn ei safbwynt pan gyhoeddwyd yr hwiangerddi cyntaf. "Ffol, gwag, a phlentynaidd, yn ddiameu, ac fe allai *pechadurus* yn ngolwg rhai, yw y cerddi anwyl canlynol a anadlwyd ac a suwyd i'n clustiau pan oeddym fabanod ar lin ein mamau. Ond yr wyf fi o'r farn mai plant mawr byddarion i felusder cerdd, a deillion i dlysni symlrwydd, yw pob un na fedr deimlo swyn yn y dosbarth hwn o hen rigymau." Wedi i'r hwiangerddi ymddangos am y tro cyntaf yn *Yr Arweinydd*, dywedodd y golygydd fod "amryw o'r rhai sydd yn ei dderbyn, yn bygwth ei roddi i fyny, o herwydd y drosedd fawr o roddi yr Hwiangerddi ynddo." Yr oedd wedi derbyn llythyron yn galw'r hwiangerddi yn "ffolineb", yn "wagedd" ac yn "bechod". Eglurodd y golygydd na feddyliodd Meurig "y buasent yn peri y tramgwydd lleiaf i neb, mwy na rhyw deganau diniwed ereill perthynol i'r plant." Ei ddymuniad oedd y byddai'r "dynion mawr, call" yn gadael y "teganau gwag" hyn i'r plant. Ond ar yr un pryd yr oedd yn rhoi rhybudd iddynt fod "y penillion sydd yn ol yn waeth ac yn ffolach hyd yn nod na'r ffol-bethau sydd wedi ymddangos eisioes" ac y dylai pawb wylio "rhag darllen yr Hwiangerddi, ond yn unig y rhai sydd yn dymuno eu gweled." O dan y pennawd "Yr Hwiangerddi" o hyn ymlaen cafwyd yr is-bennawd "Gwiliwch Rhagddynt!!" Un o'r rhai a'u condemniodd oedd Ioan Arfon (John Owen Griffith, 1828–81). Mewn llythyr at *Yr Arweinydd* fe'u galwodd yn "ffolineb digymysg", a chynghorodd Meurig i wneud gwell defnydd o'i amser a'i lafur. Ychwanegodd, "Yr wyt wedi dy gynysgaethu a thalentau; ond byddai yn fil gwell i ti eu cuddio yn y ddaiar, na'u gwario ar hwiangerddi a'r cyffelyb." Ond derbyniwyd hefyd lythyr oddi wrth "Pregethwr yr Efengyl" yn amddiffyn yr hwiangerddi ac yn awgrymu y dylid eu cyhoeddi mewn llyfryn bychan.

Yr oedd Ceiriog eisoes yn gyfarwydd â chasgliad enwog J. O. Halliwell, *The Nursery Rhymes of England* (argraffiad cyntaf 1842). Croesawodd y syniad o gyhoeddi llyfryn bychan o hwiangerddi, ond byddai'n rhaid wrth fwy nag un person i wneud hyn oherwydd yn ei farn ef yr oedd yr hwiangerddi oedd yn adnabyddus yn un sir yn anadnabyddus mewn sir arall. Er mwyn annog eraill i ychwanegu at yr hyn a gyhoeddwyd yn *Yr Arweinydd*, bwriadai gynnig "ychydig o gydnabyddiaeth arianol iddynt am eu llafur". Yr oedd O. G. Williams, Bethesda, enillydd y gystadleuaeth flaenorol, eisoes wedi cynnig copi o *Caniadau Caledfryn* i'r sawl a allai ychwanegu mwyaf at yr hyn a gyhoeddwyd yn *Yr Arweinydd*. Fel o'r blaen, yr oedd y casgliadau i'w hanfon at Ceiriog, a hynny erbyn y cyntaf o Fehefin. Derbyniodd Ceiriog bump o gasgliadau ychwanegol, ond bu'n araf yn eu beirniadu, ac anfonodd un cystadleuydd lythyr at *Yr Arweinydd* yn gofyn beth oedd y rheswm am yr oedi. Erbyn i'r feirniadaeth ymddangos yn *Yr Arweinydd* yr oedd naw casgliad wedi dod i law, ond mae'n amlwg bod tri o'r pum casgliad gwreiddiol wedi mynd ar goll. Penderfynodd Ceiriog roi "pum swllt" i un cystadleuydd, sef "Dafydd Llwyd", "am ei boen", a "gini" i'r gorau, sef "Old King Cole". Ychwanegodd, "Os na chyfnewidiaf fy marn mi gyhoeddaf hwn yn llyfryn bychan gan ychwanegu ychydig ato fy hun."

Ni chyhoeddodd Ceiriog lyfryn o hwiangerddi, ond cyhoeddodd gasgliad yn dwyn y teitl "Hen Hwian-Gerddi" yn ei lyfr poblogaidd *Oriau'r Haf* yn 1870. Yn y rhagair dywed: "Y mae casgliad o bob math o farddoniaeth wedi ei wneud oddigerth y fath yma. . . . Yn yr '*Arweinydd*' am 1856 ac 1857 y dechreuais gasglu yr Hen Hwian-gerddi hyn, a mawr y canmol a'r lladd oedd arnaf." (Fel y dangoswyd, yn 1857 yn unig y bu Ceiriog yn casglu hwiangerddi.) Mae cant a phedair o hwiangerddi yn *Oriau'r Haf*, a'r tair a thrigain cyntaf yn cyfateb mwy neu lai i'r tair a thrigain a gyhoeddwyd ganddo yn *Yr Arweinydd*. Efallai mai casgliad buddugol yr ail gystadleuaeth, neu ran ohono, yw'r gweddill ohonynt. Ymhlith y penillion yn *Oriau'r Haf* gwelir "Lleuad yn olau", "Welwch chi fi, welwch chi fi" a "Ci a chath a chyw a chywen". Mae Ceiriog yn pwysleisio nad oedd rhai'r De wedi eu cynnwys. "Gwelir fod y casgliad hwn yn hollol ymddifad o Hwian-gerddi Deheudir Cymru. Byddai yn dda genyf gael cynorthwy i'w hel ynghyd a'u hachub rhag difancoll." Anfonodd Dafydd Morganwg (D. W. Jones, 1832–1905) lythyr (dyddiedig 4 Mawrth 1871) at Ceiriog yn ei hysbysu bod rhai o'r hwiangerddi mor adnabyddus yn y De ag yr oeddynt yn y Gogledd. "Yr wyf wedi darllen 'Oriau'r Haf', fel pob 'Oriau' ereill o'th eiddo, ac yr wyf am ddweyd gair neu ddau wrthyt am yr *Hwian Gerddi*. Yn gyntaf, gallaf dy hysbysu fod tuag un rhan o dair o'r rhai sydd yn dy lyfr mor boblogaidd yn y *South* yma, ag ydynt yn y Gogledd, a gellir yn rhwydd ddangos mai i'r *South* y perthynant yn wreiddiol tae fatter. Y mae genym ni luoedd lawer nad ydynt argraffedig, ac os caret, mi a anfonaf lonaid *Railway waggon* i ti o honynt."

Un o'r rhai a gymerai ddiddordeb mawr yn llên gwerin De Cymru oedd Cadrawd (T. C. Evans, 1846–1918). Rhwng 1882 ac 1884 bu ei "Hen dribanau Morganwg" yn ymddangos yn *Cyfaill yr Aelwyd*, dan olygyddiaeth Beriah Gwynfe Evans, ac ystyrir nifer o'r rhain yn hwiangerddi. Yn 1885 yr oedd yn fuddugol yn Eisteddfod Genedlaethol Aberdâr am draethawd ar "The Folklore of Glamorgan". Y pryd hwnnw y gwnaeth John Rhŷs, a oedd yn un o'r beirniaid, apêl i'r papurau yn y De i gasglu llên gwerin cyn ei bod yn rhy hwyr.

Yr oedd *Y Gweithiwr Cymreig*, a gyhoeddwyd yn Aberdâr, eisoes wedi dechrau cyhoeddi hwiangerddi yn "Y Golofn Hynafiaethol" o dan olygyddiaeth R. J. Jones (1835–1924). Yr oedd R. J. Jones yn gwybod am gasgliad Ceiriog ac yr oedd yn awyddus i gasglu hwiangerddi'r De. Ymddangosodd yr hwiangerddi yn wythnosol yn y papur trwy gydol 1885, a nifer o ddarllenwyr fel Teganwy a Tanysgwylfa (D. Williams) yn anfon eu cyfraniadau gan nodi weithiau lle clywyd y penillion. Yn *Y Gweithiwr Cymreig* yr ymddangosodd "Hen fenyw fach Cydweli", "Sioni brica moni" a "Bachgen bach o Ddowlais". Mae Cadrawd yn sôn am yr ymgais hon i gasglu hwiangerddi, gan ddweud, "Mae yn agos bobpeth yn cael ei gosod i fewn dan yr enw o Hwian Gerdd, ac nid ychydig o'r hen dribanau, sydd eisoes wedi ymddangos yn y CYFAILL, a osodir i fewn fel Hwian Gerddi." Ychwanega y byddai'n barod i dderbyn cyfraniadau oddi wrth ddarllenwyr a'u trefnu er mwyn eu cyhoeddi yn *Cyfaill yr Aelwyd*, ond ni ddaeth dim o hyn.

Erbyn 1892 yr oedd *Cyfaill yr Aelwyd* wedi troi'n *Cyfaill yr Aelwyd a'r Frythones*, a Cadrawd ei hun yn un o'r golygyddion. Mae'n cyfeirio at gasgliad Ceiriog o hwiangerddi'r Gogledd ac yn mynegi ei fwriad o gyhoeddi casgliad cyffelyb o hwiangerddi'r De yn *Cyfaill yr Aelwyd a'r Frythones*. Mae'n cynnwys llythyr (yn Saesneg) a dderbyniodd oddi wrth Ceiriog, dyddiedig 12 Tachwedd 1885, sy'n awgrymu y dylai hwiangerddi'r gwahanol siroedd yn y De gael eu hysgrifennu yn eu ffurf dafodieithol. "*From a dialectic point of view, it would be well to classify those of Gwent, Dyfed, and Gwlad Forgan, and of course those of Flemish Pembroke, separately.*" Gobeithiai Cadrawd y byddai cyfraniadau yn dod o bob sir yn y De er mwyn gwneud y casgliad yn un cyflawn. Ymddangosodd "Hwian-Gerddi'r Deheudir" yn *Cyfaill yr Aelwyd a'r Frythones* yn 1892, 1893 a 1894. Enw Cadrawd yn unig sydd yn gysylltiedig â hwy, ac eithrio hwiangerddi Brycheiniog, a gasglwyd gan Wrtydyn (Evan Jones, 1850–1928) ac a gyfrannwyd ar gais Cadrawd.

Rhwng 1887 ac 1890 ymddangosodd nifer o hwiangerddi yn *Cymru Fu*, cylchgrawn Saesneg a gyhoeddwyd yng Nghaerdydd. Un o'r cyfranwyr yn

1887 oedd "Porthminster", o Ripley, Swydd Derby, a alwai ei hun yn "*self-taught Welsh scholar*". Brodor o Gernyw oedd Porthminster, ac yr oedd wedi sylweddoli bod addysg a'r iaith Saesneg yn cael effaith andwyol ar yr ieithoedd Celtaidd: "*It is a matter of no small importance that all existing folk-rhymes in the Welsh vernacular should without delay be collected and preserved for, even where the ancient language is not being ousted by English, popular education is rapidly effacing all traces of the hearthside traditions and sayings of our Celtic ancestors.*" Un arall o'r cyfranwyr i'r cylchgrawn hwn yn 1888 oedd Elfed ac yntau'n weinidog yn Hull ar y pryd.

Cychwynnodd O. M. Edwards *Cymru'r Plant* yn 1892, ac yn y flwyddyn honno cyhoeddodd ynddo hwiangerddi o bob rhan o Gymru, gan ddiolch i Cadrawd ymlith eraill amdanynt. Derbyniwyd hwiangerddi yn y modd hwn oddi wrth lu o ddarllenwyr am dros ugain mlynedd. Yn ystod y blynyddoedd hyn ymddangosodd "Bachgen bach o Felin-y-wig", "Si hei li lwli'r babi", "Ceiliog bach y dandi" a " 'Fuost ti erioed yn morio?' ". Cyhoeddodd O. M. Edwards y rhan fwyaf o'r hwiangerddi o *Cymru'r Plant* yn ei dair cyfrol *Hwian-Gerddi Cymraeg*, *Hwian-Gerddi Cymru* ac *Yr Hwiangerddi* (1911). Yr oedd yn ymwybodol bod plant yn gwerthfawrogi darluniau, ac fe dynnwyd rhai ar gyfer y casgliadau hyn gan Winifred Hartley.

Bu'r Eisteddfod Genedlaethol yn symbylu astudiaeth o lên gwerin. Cynigiwyd gwobr am draethawd ar "Llên y Werin yn Sir Gaernarfon" yn Eisteddfod Genedlaethol Caernarfon, 1880. Yn ei feirniadaeth yn Eisteddfod Genedlaethol Aberdâr, 1885, awgrymodd John Rhŷs i'r Eisteddfod y dylid cynnig gwobr bob blwyddyn am gasgliad o lên gwerin hyd nes bod y deunydd i gyd wedi ei gasglu. Ar ôl hyn cynigiwyd gwobr am gasgliad o lên gwerin yn Eisteddfodau Cenedlaethol Caerludd (Llundain) 1887, Aberhonddu 1889, Bangor 1890, Llanelli 1895, Blaenau Ffestiniog 1898, Lerpwl 1900, Abertawe 1907, Llundain 1909, Aberystwyth 1916 a Chaernarfon 1921. Yn eu beirniadaethau yn Eisteddfodau Cenedlaethol Aberdâr a Blaenau Ffestiniog mae J. Spinther James a John Rhŷs yn pwysleisio nad yw hen benillion a rhigymau yn gyfyngedig i un sir yn unig. Fel y dywedodd D. G. Williams yn y rhagarweiniad i'w gasgliad buddugol yn Eisteddfod Genedlaethol Llanelli: "Gwn fod yma lu o bethau i fewn sy'n perthyn i ardaloedd eraill, a gwledydd ereill hefyd o ran hynny. . . . Nid wyf wedi beiddio dweyd am ddim mai i sir Gaerfyrddin yn unig y perthyn." Ychwanegodd fod amryw o'r hwiangerddi yng nghasgliad Ceiriog "yn dra adnabyddus yn sir Gaerfyrddin, gydag ychydig wahaniaethau."

Cafwyd casgliadau o hwiangerddi mewn dau lyfr, *Llên Gwerin Blaenau Rhymni* (1912) a *Dail y Gwanwyn* (1916), a gyhoeddwyd gan Ysgol Lewis, Pengam. Yn 1926 cyhoeddwyd *Hwiangerddi Rhiannon* a gasglwyd gan Ellen Evans ac yn 1942 *Hwiangerddi'r Wlad* a gasglwyd gan Eluned Bebb. Yn ogystal cyhoeddwyd hwiangerddi gan wahanol gasglwyr mewn papurau a chylchgronau, ac mae'n werth nodi cyfraniad Tom Jones, Trealaw (1871–1938) a fu'n hynod ddiwyd yn casglu ac yn cofnodi hwiangerddi yn *Y Darian* rhwng 1925 ac 1931.

Penillion i'w canu yw cyfran dda o'r hwiangerddi ym mhob gwlad. Ond yng Nghymru dyna agwedd a gafodd ei diystyru am flynyddoedd lawer. Ychydig o dystiolaeth a geir cyn dechrau'r ganrif hon bod hwiangerddi yn cael eu canu, ar wahân i ambell un fel "Mae gennyf ddafad gyrnig" ac "Mae gen i bâr o glocs". Ceir llawysgrif o waith Cadrawd yn Llyfrgell Ganolog Caerdydd, dyddiedig 1905, yn dwyn y teitl "Welsh Nursery Rhymes Set to the old 'Airs', to which they were Sung, in different Parts of South Wales"; a thua'r un adeg cyhoeddodd Cadrawd a Harry Evans eu casgliad *Welsh Nursery Rhymes* a oedd yn cynnwys hwiangerddi ac alawon. Wedi hynny bu aelodau o Gymdeithas Alawon Gwerin Cymru yn weithgar yn cyhoeddi alawon ar gyfer hwiangerddi yng nghylchgrawn y gymdeithas. Cyhoeddodd J.

Lloyd Williams ei lyfr *Hwiangerddi Cymraeg* yn 1928, ac yn y rhagair mae'n dweud bod "nifer o gasgliadau da o'r hen rigymau wedi eu cyhoeddi; ond un ymgais yn unig sydd wedi ei wneud i gofnodi yr hen alawon ar ba rai y cenid hwynt yn yr amser gynt. Hyd yn oed yn y casgliad hwnnw nid oedd ond tua hanner yr alawon yn Gymreig; bu raid gorffen y rhestr trwy fenthyca alawon tramor, a thrwy gyfansoddi alawon newydd." Â ymlaen i esbonio paham y cafodd gymaint o drafferth i ddod o hyd i'r dwsin o alawon traddodiadol sydd yn ei gasgliad ef: "Ar ôl i'r mamau fod yn canu 'Twinkle, twinkle, little star' a chaneuon tebyg, pan yn blant yn yr ysgol ddyddiol, naturiol iawn oedd iddynt ganu'r rhigymau Cymraeg ar yr alawon Seisnig hyn a gadael i'r hen alawon Cymreig fynd ar ddifancoll." Gan amlaf un pennill yn unig a genid ar alaw arbennig, felly gofynnodd J. Lloyd Williams i T. Gwynn Jones gyfansoddi penillion ychwanegol i'w cynnwys yn ei lyfr. Ymddangosodd nifer o'r hwiangerddi mwyaf cyfarwydd yn rhaglenni blynyddol Undeb Cymanfaoedd Canu Alawon Gwerin Cymru a'i olynwyr. Yr oedd y rhain i'w canu ar alawon wedi eu trefnu yn bennaf gan John Hughes, W. Rees Lewis, J. Lloyd Williams a W. S. Gwynn Williams. Trefnodd W. S. Gwynn Williams nifer o alawon ar gyfer hwiangerddi, a'u cyhoeddi yn ei gasgliad *Hwiangerddi Cymru* yn 1944.

Yn y casgliad presennol cynhwysir nifer helaeth o'r penillion traddodiadol hynny sydd wedi arfer cael eu hystyried yn "hwiangerddi" ac sydd wedi cael eu hadrodd neu eu canu i blant gan famau ar hyd y cenedlaethau, er mwyn eu suo i gysgu neu eu difyrru. Ni luniwyd rhai o'r rhain ar gyfer plant yn y lle cyntaf ac felly ni ellir disgwyl bob amser i blant bach eu deall. Nid oedd y fam o angenrheidrwydd yn eu dweud a'u canu am ei bod yn synied amdanynt fel "hwiangerddi" ond am eu bod yn hawdd i'w cofio ac yn digwydd dod i'w meddwl ar y pryd. Weithiau adroddai ddarn bach cofiadwy o gerdd hir, a dyna'r unig ddarn ohoni sydd ar glawr erbyn heddiw. Aeth Ceiriog mor bell ag awgrymu mai dyna yw'r mwyafrif llethol o hwiangerddi. "Y mae lle i feddwl mai man ddarnau o gerddi neu ganiadau ydyw hwiangerddi bron i gyd. Paham y trosglwyddwyd ini trwy draddodiad y naill ddernyn o gyfansoddiad mewn blaenoriaeth i ddarn arall, nis gwn; ond os caniatewch i mi ddyfalu, dywedaf fod symlrwydd sydd yn y penill hwn a'r llinell acw wedi rhoi bywyd a phoblogrwydd, tra mae darnau eraill o'r un gerdd yn myned i ebargofiant o ddiffyg yr elfen fyw."

Cynhwysir hefyd yn y gyfrol hon lawer o rigymau eraill o bob math a adroddid i blant neu gan blant ar amryfal achlysuron. Ni luniwyd pob un o'r rhain chwaith ar gyfer plant yn wreiddiol ond erbyn heddiw y plant gymaint â neb arall a'u piau hwy.

Cefais y mwyafrif mawr o'r penillion hyn o lyfrau, cylchgronau, papurau newydd a llawysgrifau. Byddai wedi bod yn ormod o dasg i nodi ffynonellau penillion unigol oherwydd y mae llawer ohonynt i'w gweld mewn mwy nag un casgliad. Yn ogystal ceir rhai penillion yn y llyfr hwn sydd yn gyfarwydd i mi ac sydd mwy na thebyg ar gof a chadw ar lafar yn unig. Fel y gellid disgwyl, gan fod y penillion yn perthyn i'r traddodiad llafar, ni wyddom gan mwyaf pa bryd y cawsant eu cyfansoddi na phwy oedd yr awduron. Yn aml mae nifer o fersiynau'n bod o'r un pennill, ond fel rheol un fersiwn yn unig sydd wedi ei gynnwys yma, a hwnnw am ei fod y mwyaf cyfarwydd heddiw, neu am ei fod y mwyaf cyflawn, neu'r hynaf, neu am ei fod, yn fy marn i, yr un mwyaf apelgar. Mae mwy nag un fersiwn wedi eu cynnwys lle'r oedd digon o wahaniaeth rhyngddynt neu lle'r oedd y penillion am wahanol resymau o ddiddordeb arbennig.

Yr iaith lafar oedd iaith yr hwiangerddi hyn yn wreiddiol, a hynny sy'n gyfrifol am ran helaeth o'u swyn. Ymwrthodais â'r demtasiwn i'w newid a'u gwneud yn fwy llenyddol ac eithrio newid rhai ffurfiau tafodieithol lle nad oedd hynny'n amharu ar yr odl nac ar rediad y pennill.

Yn y gyfrol hon mae'r penillion wedi eu dosbarthu o dan benawdau cyffredinol, ond gallent fod wedi eu dosbarthu o dan benawdau eraill yn ddigon hawdd. Hefyd gallai rhai sydd wedi eu cynnwys o dan un pennawd fod wedi eu cynnwys o dan bennawd gwahanol. Felly ceir mynegai i'r enwau lleoedd ac i'r llinellau cyntaf, er mwyn helpu'r darllenydd i leoli eitemau o ddiddordeb. Yn y "Nodiadau" ceir enwau awduron, os yw'r rheiny'n hysbys, fersiynau gwahanol o rai hwiangerddi, a chyfeiriadau at ffeithiau, digwyddiadau ac arferion perthnasol. Mae geiriau anghyfarwydd wedi eu rhestru ar wahân.

Mae dros bum cant o hwiangerddi a rhigymau yn y casgliad hwn. Cynhwysir y rhai mwyaf cyfarwydd, mi gredaf, a rhai nad ydynt mor gyfarwydd, a thybiaf fod pob un yn haeddu ei le. Ond ni ellir honni bod popeth wedi ei gynnwys. Diau bod penillion gwerthfawr eraill ar gael a minnau, er gwaethaf pob ymchwil, heb ddod ar eu traws; ac efallai imi adael rhai allan am resymau arbennig er y dylwn fod wedi eu cynnwys ym marn ambell un. Beth bynnag, mae cyfran helaeth o'r deunydd sydd ar gael wedi ei grynhoi i un gyfrol, a hynny'n ddeunydd a fydd, gobeithio, yn rhoi mwynhad i rieni, athrawon ac, yn bennaf oll, i blant.

Diolchiadau

Carem ddiolch yn arbennig i Robin Gwyndaf am ei ganiatâd i gynnwys nifer o hwiangerddi a gasglwyd ganddo, am lawer awgrym gwerthfawr ac am ei gymorth diarbed inni wrth baratoi'r llyfr hwn.

Pleser hefyd yw cydnabod ein dyled i:
Amgueddfa Werin Cymru
Dr Ilid Anthony
Anne Dorsett, Amgueddfa Caerfyrddin
Derwyn Jones, Llyfrgell Coleg Prifysgol Gogledd Cymru
Tegwyn Jones, Geiriadur Prifysgol Cymru
Llyfrgell Dyfed
Llyfrgell Ganolog Caerdydd
Llyfrgell Genedlaethol Cymru
Mudiad Ysgolion Meithrin
ac i'r cyfeillion caredig hynny yr adlewyrchir eu hawgrymiadau yn nhestun y llyfr, neu eu tai a'u ffermydd yn y darluniau.

Pais Dinogad, fraith fraith,
O grwyn balaod ban wraith:
Chwid, chwid, chwidogaith,
Gochanwn, gochenyn' wythgaith.
Pan elai dy dad di i heliaw,
Llath ar ei ysgwydd, llory yn ei law,
Ef gelwi gŵn gogyhwg –
"Giff, Gaff; daly, daly, dwg, dwg."
Ef lleddi bysg yng nghorwg
Mal ban lladd llew llywiwg.
Pan elai dy dad di i fynydd,
Dyddygai ef pen iwrch, pen gwythwch, pen hydd,
Pen grugiar fraith o fynydd,
Pen pysg o Raeadr Derwennydd.
O'r sawl yd gyrhaeddai dy dad di â'i gigwain
O wythwch a llewyn a llwynain
Nid angai oll ni fai oradain.

Mae pais Dinogad yn fraith, fraith;
O grwyn balaod y gwneuthum hi.
Fe ganwn ni ac fe gân wyth o gaethion,
"Chwid, chwid, chwidogaith."
Pan elai dy dad di i hela –
Gwaywffon ar ei ysgwydd, pastwn yn ei law –
Galwai'r cŵn cyflym:
"Giff! Gaff! Dal, dal! Dwg, dwg!"
Lladdai bysgod yn ei gwrwgl
Fel y bydd llew yn lladd.
Pan elai dy dad di i fynydd,
Deuai ag iwrch, mochyn gwyllt, carw,
Grugiar fraith o'r mynydd
A physgodyn o Raeadr Derwennydd.
Beth bynnag a gyrhaeddai dy dad di â'i bicell –
Boed fochyn gwyllt neu gath wyllt neu lwynog –
Ni ddihangai dim oni bai fod iddo adenydd.

Ar Lin Mam

Enwi'r bysedd

Modryb y fawd,
Bys yr uwd,
Hirfys,
Cwtfys,
Robin ewin bach.

Modryb y fawd,
Bys yr uwd,
Pen y cogwr,
Dic y peipar,
Joli cwt bach.

Bys twmpyn,
Twm swchlyn,
Long Harries,
Short Morris,
Wil bach.

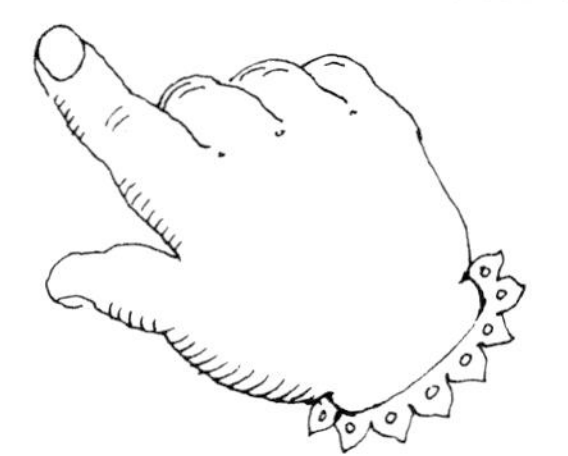

Feni feni,
Cefnder iddi,
Whidi dabwr,
Whidi grogwr,
Bys bach, druan gŵr,
Yn llusgo drain ar hyd y dŵr.

Twm tabwt,
Beni rwdwt,
Feni feni,
Cendereni,
Bys bach, druan gŵr,
Tynnu'r drain ma's o'r dŵr
I facsu.

Bowden,
Gwas y fowden,
Libar labar,
Gwas y stabal,
Bys bach, druan gŵr,
Dorrodd ei ben wrth gario dŵr
I Mam i dylino.

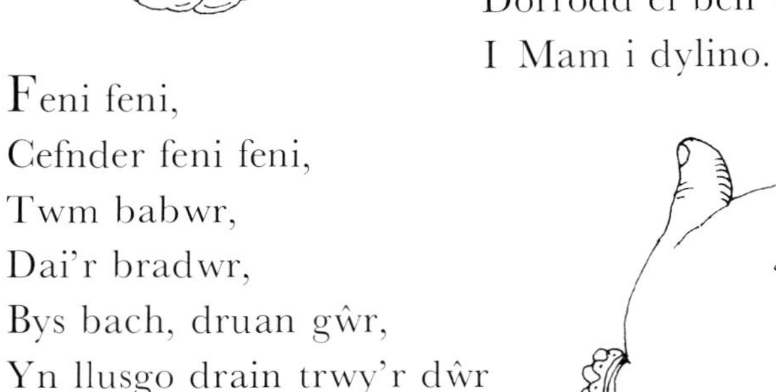

Feni feni,
Cefnder feni feni,
Twm babwr,
Dai'r bradwr,
Bys bach, druan gŵr,
Yn llusgo drain trwy'r dŵr
A chario dŵr i Fari.

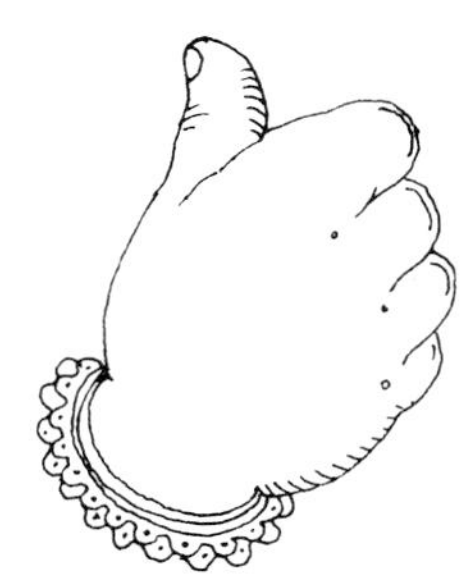

Fini fini fawd,
Brawd y fini fawd,
Wil bibi,
Siôn bobwr,
Bys bach, druan gŵr,
Dal ei ben o dan y dŵr.

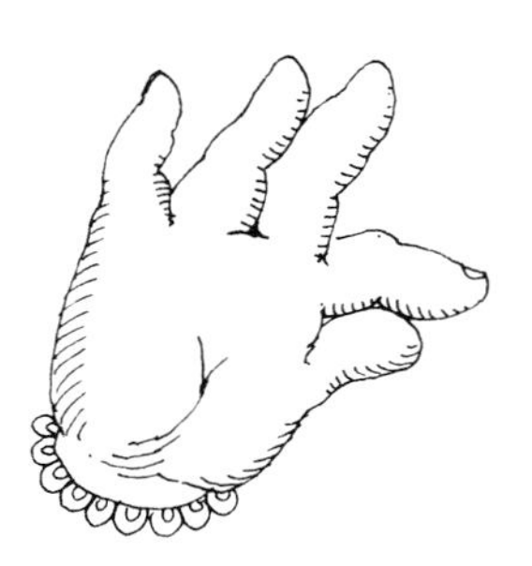

Beni beni,
Cefnder beni,
Beni dapwr,
Cefnder beni dapwr,
Bys bach, druan gŵr,
Tynnu'r drain trwy'r dŵr.

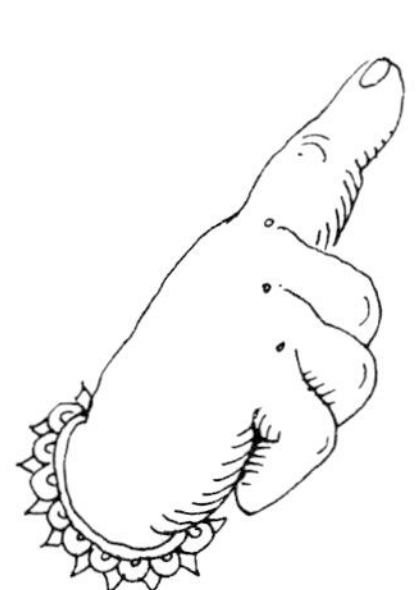

"Ddoi di i'r mynydd?" meddai'r fawd;
"I beth?" meddai bys yr uwd;
"I hela llwynog," meddai'r hirfys;
"Beth os gwêl ni?" meddai'r cwtfys;
"Llechu dan lechen," meddai'r bys bychan.

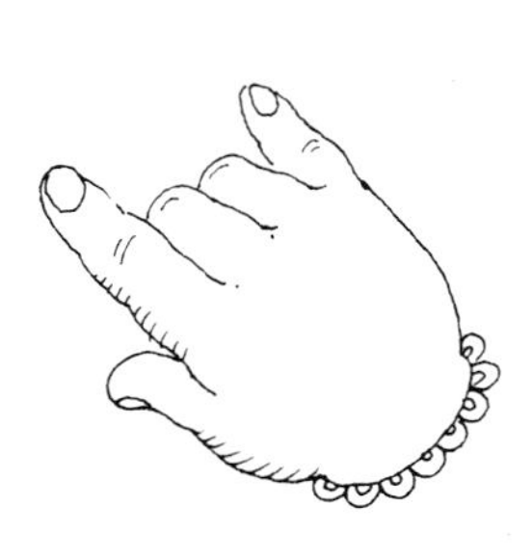

Cnoc ar y drws,
Canwch y gloch,
Codwch y gliced,
Sychwch eich traed,
Ac i mewn â chi.

Pry' bach yn edrych am dwll,
Yn edrych am dwll, yn edrych am dwll,
Pry' bach yn edrych am dwll –
A dyma dwll, dwll, dwll, dwll, dwll.

Tylino, tylino, tylino torth wen,
Taflwch hi i'r ffwrn dros ei phen.

Hen wraig fach yn rhoi llaeth i'r llo,
Yntau'n gwrthod ei gymryd o;
Wel dyna hi yn mynd o'i cho',
O bobol, roedd 'na labio!
Dim didl, dim didl, dim, dim, dim,
Dim didl, dim didl, dim, dim, dim,
Didl dim, didl dim, didl dim, didl dim,
Didl dim, dim, dim, dim, dim, dim.

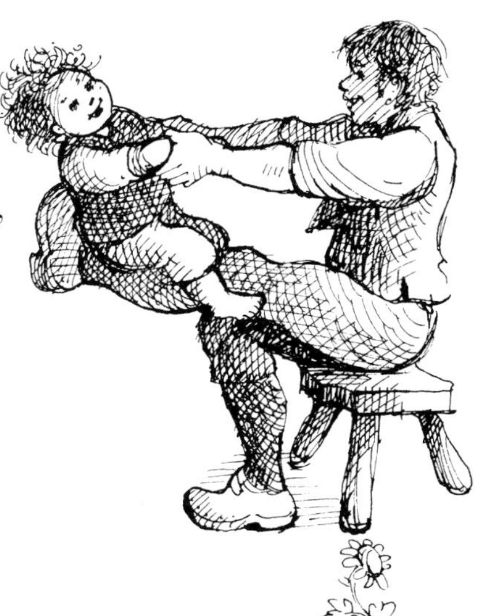

Hen wraig fach â basged o wye
O Landeilo i Landybïe;
Ar y bont ar bwys Llandybïe
Fe gwympodd y fasged
A lawr aeth y wye.

Llifio, llifio, llifio'n dynn,
Grot y dydd y flwyddyn hyn;
Os na lifiwn ni yn glau,
'Nillwn ni ddim grot ein dau.

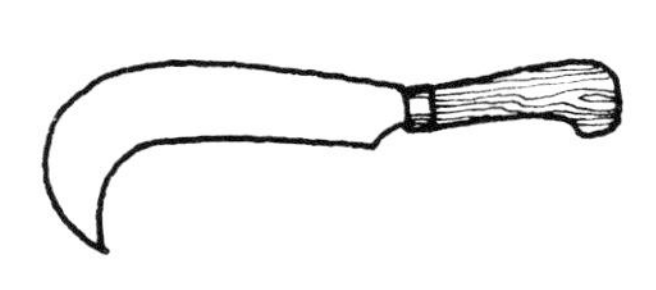

Llifio, llifio, Wil mab Ianto,
Llifio 'mlaen heb sôn am ginio,
Llifio'r pren yn bump o ranne,
Cwpla'r gwaith cyn myned adre.

Llifio, llifio coed Llandeilo,
I wneud coffrau bach ceiniogau;
Coffr i ti a choffr i minnau,
Coffr i mi a choffr i tithau.

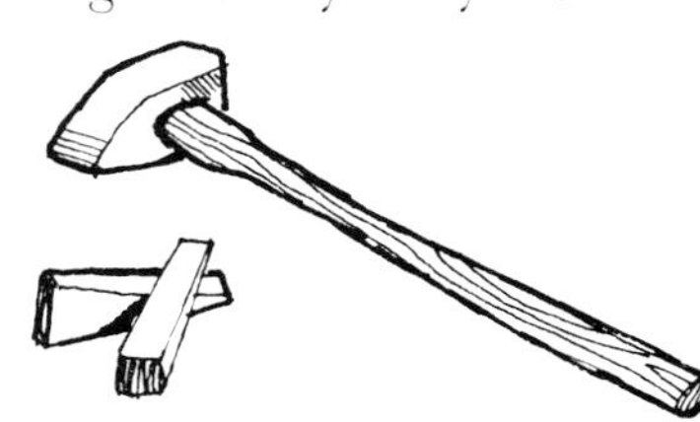

Llifio, llifio
Coed Llandeilo,
Hollti pren bedw
Yng ngallt yr hen weddw;
Peth at lwyau,
Peth at ffiolau,
Peth at focsys bach dimeiau,
Dimeiau, dimeiau, dimeiau,
Dimeiau, dimeiau, dimeiau.

Si-so, Marjorie Do,
Gwerthu gwely a phrynu llo.

Si-so gorniog,
Grot a phedair ceiniog;
Un i mi ac un i chi,
Ac un i'r dyn am fenthyg y lli' gorniog.

Si-so, jac-y-do,
Yn gwneud ei nyth trwy dyllu'r to,
Yn gwerthu'r mawn a phrynu'r glo,
Yn lladd y fuwch a blino'r llo,
Yn cuddio'r arian yn y gro,
A mynd i 'Werddon i roi tro,
Si-so, jac-y-do.

Si-so, si-so,
Deryn bach ar ben y to;
Ceiniog i ti,
Ceiniog i mi,
A cheiniog i'r iâr am ddodwy,
A cheiniog i'r ceiliog am ganu.

Si-so, jac-y-do,
Dal y deryn dan y to,
Gwerthu'r fuwch a lladd y llo,
Mynd i Lundain i roi tro,
Dyna ddiwedd jac-y-do.

Pedoli, pedoli, pedoli, pe-dinc,
Mae'n rhaid inni bedoli
'Tai e'n costio inni bunt;
Pedol yn ôl a phedol ymlaen,
Pedol yn eisiau o dan y droed asau,
Bi-dinc, bi-dinc, bi-dinc.

Pedoli, pedoli, pedoli, pe-drot,
Mae'n rhaid inni bedoli
'Tai e'n costio inni rot;
Pedol yn ôl a phedol ymlaen,
Pedol yn eisiau o dan y droed asau,
Bi-drot, bi-drot, bi-drot.

Pedoli, pedoli, pedoli, pe-dinc,
Gwaith y gof bach â'i lygad blinc;
Pedol â ho'l o dan y droed ôl,
Pedol yn eisiau o dan y droed asau.

Pedoli, pedoli, pe-din,
Pedoli'r ceffyl gwyn;
Pedoli, pedoli, pe-doc,
Pedoli'r ebol broc.

Gyrru, gyrru, drot i'r dre,
Dŵad adre erbyn te.

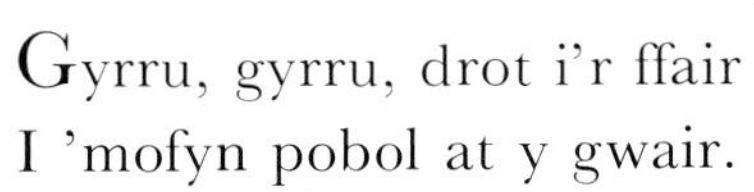

Gyrru, gyrru, drot i'r ffair
I 'mofyn pobol at y gwair.

Gyrru, gyrru, gyrru i Gaer
I briodi merch y maer;
Gyrru, gyrru, gyrru adre,
Wedi priodi ers diwrnode.

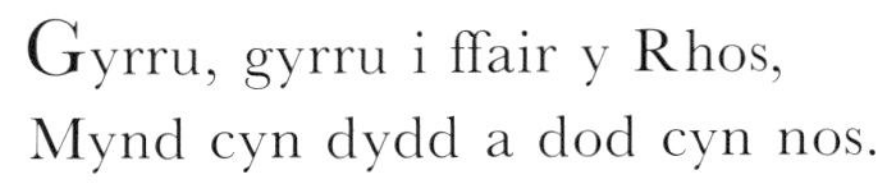

Gyrru, gyrru i ffair y Rhos,
Mynd cyn dydd a dod cyn nos.

Gyrru, gyrru i ffair y Rhos
I 'mofyn tamaid bach o do's.

Gyrru, gyrru i ffair y Fenni
I brynu cledd i ladd y bwci.

Gyrru, gyrru i ffair Henfeddau
I 'mofyn pinnau, i 'mofyn 'falau.

Gyrru, gyrru i ffair y dre
I 'mofyn cacen erbyn te;
Gyrru, gyrru adre'n ôl
Gyda'r gacen yn fy nghôl.

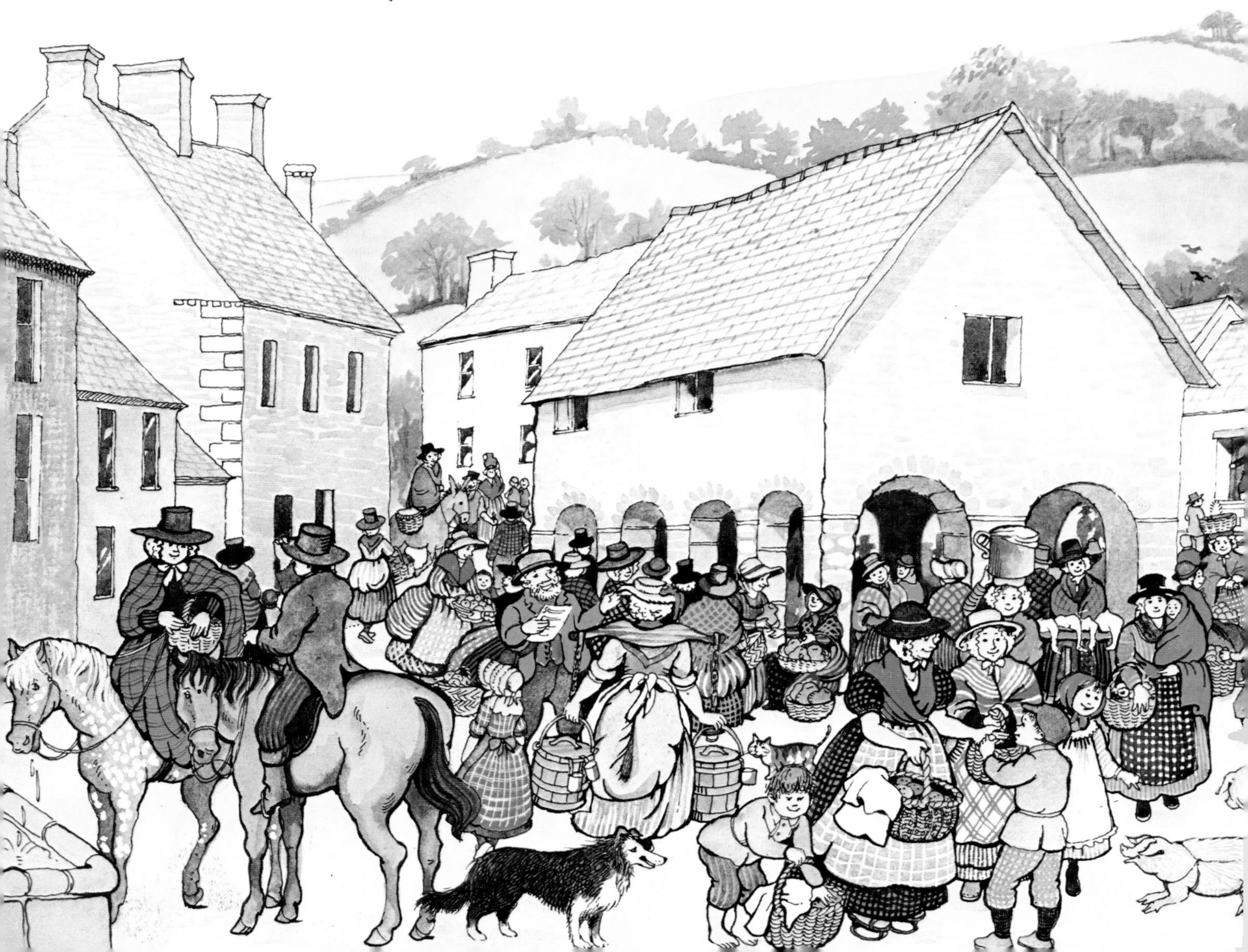

Hai gel i'r dre, hai gel adre,
Ceffyl John bach cyn gynted â nhwnte.

Hai'r ceffyl bach i ffair y Bont-faen,
Cam, cam, cam;
Hai'r ceffyl bach i ffair Pontypridd,
Trot, trot, trot;
Hai'r ceffyl bach i ffair Pontardawe,
Galop, galop, galop.

Galop ar galop, a'r asyn ar drot,
A minnau'n clunhercan yn ddigon o sbort.

Ar garlam, ar garlam, i ffair Abergele;
Ar ffrwst, ar ffrwst, i ffair Llanrwst;
Ar duth, ar duth, i ffair y Ffrith;
Ar drot, ar drot, i ffair Llan-mot;
O gam i gam i dŷ Modryb Ann.

Hala, hala, tua'r dre,
I 'mofyn siwgwr gwyn a the;
Dod yn ôl yn hwyr prynhawn
I gael gwneuthur gwledd yn iawn.

Gyrru, gyrru i Gasnewydd
I 'mofyn pwn o lestri newydd;
Gyrru, gyrru i Gaerdydd
I 'mofyn pwn o lestri pridd.

Gee, geffyl bach, yn cario ni'n dau
Dros y mynydd i hela cnau;
Dŵr yn yr afon a'r cerrig yn slic –
Cwympo ni'n dau, wel dyna chi dric!

Howtsh i gel bach sy'n cario ni'n dau
Ochr draw'r mynydd i 'mofyn cnau;
Cario ni draw, cario ni'n ôl,
Dodi ni lawr ar bob o stôl.

Ymlaen, geffyl bach, yn cario ni'n dau
Dros y mynydd i hela cnau;
Ymlaen, geffyl bach, yn cario ni'n tri
Dros y mynydd i hela cnu.

Trot, trot, mynd i'r dre
I 'mofyn bara can a the;
Trot, trot, mynd i'r ffair
I 'mofyn teisen, ddwy neu dair.

Trot, trot, tua'r dre,
I 'mofyn set o lestri te;
Galop, galop, tua Chaerffili,
I 'mofyn set o lestri tsieni.

Trot, trot, tua'r dre,
'Mofyn set o lestri te;
Trot, trot, tuag adre,
Torri'r llestri te yn gate.

Hai, gel bach, tua Chaerdydd
I 'mofyn pwn o lestri pridd;
Hai, gel bach, i Aberhonddu,
Dwmbwr-dambar, llestri'n torri.

Ar drot, ar drot, tua'r Dre-fach,
I garu Callin benfelen fach;
Doedd ddim o Callin yn y tŷ –
Cusan i'r forwyn ac *off* â mi.

Ar drot, ar drot, i dŷ Siôn Pot;
Ar whîl, ar whîl, i dŷ Siôn Pîl;
Ar garlam, ar garlam, i dŷ Siôn Rolant;
Bob yn gam, bob yn gam, i dŷ f'ewyrth Sam.

Gyrru, gyrru, gyrru,
  Ar gefn ceffyl gwan,
I 'mofyn hadau sibwns
  At Mari Nymbar Wan.

Gyrru, gyrru, gyrru,
  Ar gefn ceffyl du,
I 'mofyn hadau sibwns
  At Mari Nymbar Thri.

Ar drot, ar drot i'r dre,
'Mofyn pwys o siwgwr ac owns o de;
Ar drot, ar drot, fy merlyn bach gwyn,
Ar drot, ar drot, dros gorun y bryn,
Ar garlam, ar garlam, i lawr Nant y Glyn.

Si hei li lwli'r babi,
Mae'r llong yn mynd i ffwrdd,
Si hei li lwli'r babi,
Mae'r capten ar y bwrdd.

Hosi bei, babi gwan,
Dodwch arno bais ei fam;
Os bydd annwyd ar ei dra'd,
Dodwch arno got ei dad.

Ust O taw, ust O taw,
Aeth dy fam i Loegr draw;
Fe ddaw hi adre yn y man
Â llond y cwd o fara can.

Si hwi lwli lili lon,
Fe ddaeth y don i siglo'th grud;
Tecach yw dy ruddiau iach,
Fy maban bach, O gwyn dy fyd.

Cysga di, fy mhlentyn tlws,
Cysga di, fy mhlentyn tlws,
Cysga di, fy mhlentyn tlws,
Cei gysgu tan y bore,
Cei gysgu tan y bore.

Siân fach annwyl, Siân fach i,
Fi piau Siân, a Siân piau fi.

Heno, heno, hen blant bach,
Heno, heno, hen blant bach,
Dime, dime, dime, hen blant bach,
Dime, dime, dime, hen blant bach.

Gwely, gwely, hen blant bach,
Gwely, gwely, hen blant bach,
Dime, dime, dime, hen blant bach,
Dime, dime, dime, hen blant bach.

'Fory, 'fory, hen blant bach,
'Fory, 'fory, hen blant bach,
Dime, dime, dime, hen blant bach,
Dime, dime, dime, hen blant bach.

Bachgen bach yw'r bachgen gore,
Gore, gore,
Cysgu'r nos a chodi'n fore,
Fore, fore.

Dos i'th wely rŵan,
Dos i'th wely rŵan,
Dos i'th wely fel yr wyt,
Dos i'th wely rŵan.

Cysga bei, babi,
Yng nghôl Dadi,
Neu ddaw'r baglog mawr
I dy 'mo'yn di nawr.

Y Teulu

Taid a Nain yn rhedeg ras
I fyny'r ffordd faen ac at y plas;
Syrthiodd Nain ar draws y stôl –
"Ha ha," ebe Taid, "mae Nain ar ôl!"

"Ble mae Mam-gu?"
"Ar ben y Mynydd Du."
"Pwy sy gyda hi?"
"Oen gwyn a maharen du;
Fe aeth i lan dros yr heol gan,
Fe ddaw i lawr dros yr heol fawr."

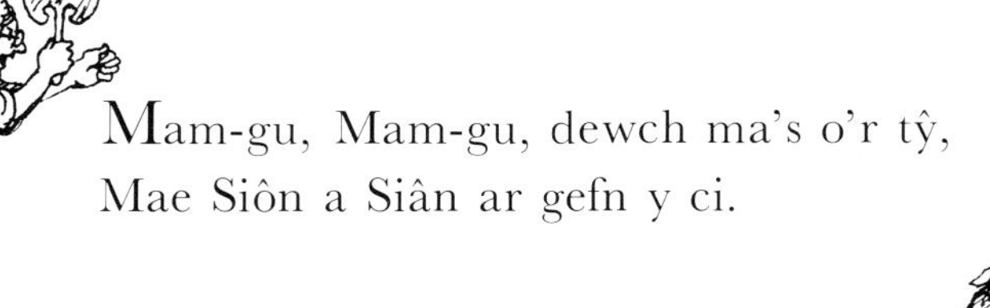

Mam-gu, Mam-gu, dewch ma's o'r tŷ,
Mae Siôn a Siân ar gefn y ci.

Mam-gu, Mam-gu, ar gefn ei chi,
Pwdl a phwdl ac *off* â hi!

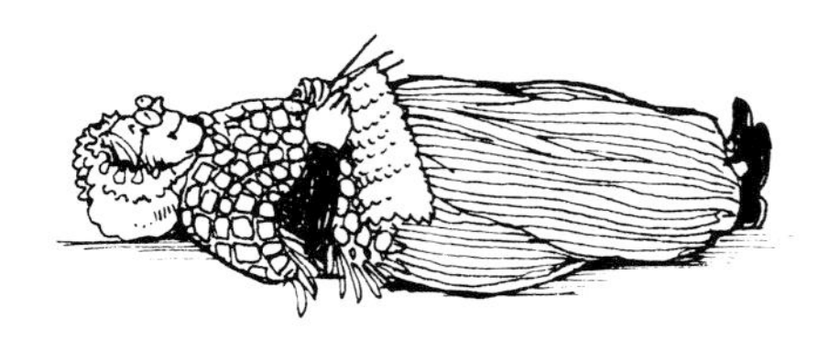

Tam tadi, tam tadi, bu farw Mam-gu,
Fe ga' i got fawr o'i hen glogyn hi.

Modryb Elin Pritchard,
Rhowch tegell ar y tân,
I mi gael te cymfforddus
Fel y Sul o'r bla'n;
Torth o fara peilliaid
A brechdan o dorth wen,
Siwgwr ym mhob 'panaid
A llefrith am ei ben.

Modryb Siwan â'r capan coch,
A ddoi di gen i i hala'r moch?
Bydded hi wynt, bydded hi law,
Ti gei dy dalu ar dy law.

O Modryb, O Modryb! Hi daflodd ei chwd
Dros bont Aberteifi i ganol y ffrwd;
Cnau ac afalau oedd ynddo yn dynn –
Mi wn bydd edifar gan Modryb am hyn.

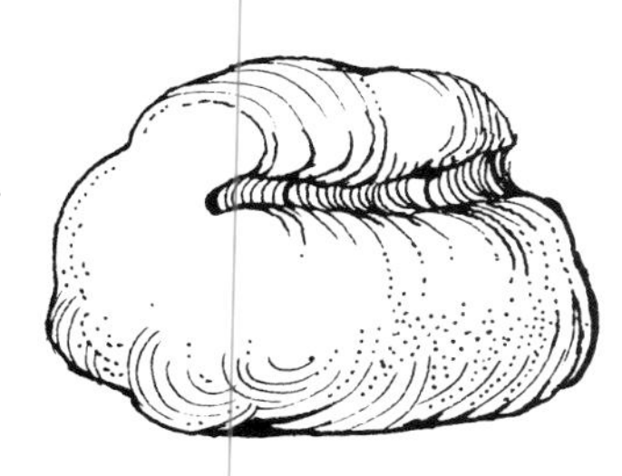

Mi af oddi yma o gam i gam
I dŷ Modryb Ann Cadwalad'
I edrych oes 'no furum da
I bobi bara peilliaid;
Wel, bendith arnoch chi, Modryb Ann,
Rhowch imi ddarn cwpanaid.

Modryb Cati'r gwefla'
Sy'n fawr am grasu bara;
Y sawl a fyto dan ei llaw,
Aiff peth o'r baw i'r bola.

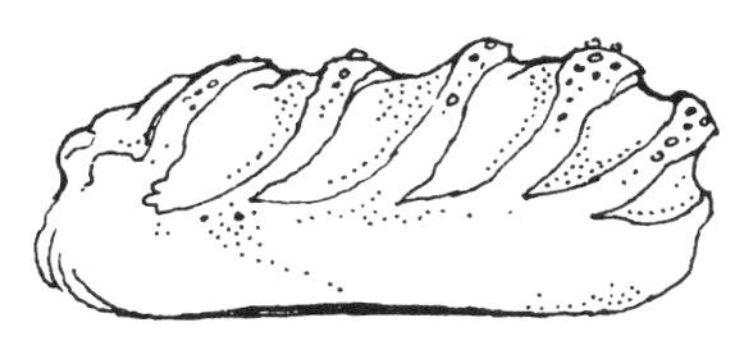

Modryb Siân o'r Lleche,
Rhowch imi fenthyg dime
I dynnu gwarant ar y gath
Am yfed lla'th y bore.

Dacw Mam yn dŵad
  Ar ben y gamfa wen,
Rhywbeth yn ei ffedog
  A phiser ar ei phen;
Y fuwch yn y beudy
  Yn brefu am y llo,
A'r llo yr ochor arall
  Yn chwarae Jim Cro.

Jim Cro Crystyn,
  Wan, tw, ffôr,
A'r mochyn bach yn eistedd
  Mor ddel ar y stôl.

Dacw Mam yn dŵad
  Wrth y garreg wen,
Menyn yn ei ffedog
  A blawd ar ei phen;
Mae'r fuwch yn y beudy
  Yn brefu am y llo,
A'r llo yr ochor arall
  Yn canu banjô.

Tybaco bach, tybaco,
Tybaco bach rwy'n leicio;
  Pe cawn i geiniog am fy mam,
Mi gwerthwn hi am dybaco.

Mae'r ceiliog coch yn canu,
Mae'n bryd i'r merched gwnnu,
Mae'r bachgen bach yn mynd tua'r glo
A'r fuwch a'r llo yn brefu.

Dere, Pegi, cwn yn wisgi,
Nid oes adeg iti oedi,
Dere i gynnau tân i'r teulu,
Bwyd yn barod rwy'n ei beri,
Hi ddaw yn glau yn bump o'r gloch,
Mae'r ceiliog coch yn canu.

Dacw Nhad yn naddu,
A Mam a Nain yn nyddu,
Y naill â'r dröell fawr
A'r llall â'r dröell fach,
A Nhaid yn y gornel yn canu.

Y ffarmwr â'r aradr yn y tir,
Y wraig yn godro'r gwartheg ir,
Y ferch yn nyddu gyda'r dröell fach,
Y mab yn dyrnu'r gwenith iach –
Pawb yn hapus fel y dydd.

Mi af i'r ysgol 'fory
A'm llyfr yn fy llaw,
Heibio'r 'sgubor newydd
A'r cloc yn taro naw;
O Mari, Mari, cwyn,
Mae heddiw'n fore mwyn,
Mae'r adar bach yn canu,
A'r gog ar frig y llwyn.

Dorti, Dorti, bara gwyn yn llosgi,
Dŵr ar y tân i olchi'r llestri;
Crafwch y crochan i gael creifion i'r ci,
A hefyd cofiwch roi llaeth i'r gath ddu.

Tynged flin yw golchi dydd Llun,
Mawrth sy hefyd ddiwrnod dioglyd,
Nid mor syber golchi dydd Mercher,
Gwell ymroi golchi dydd Iou,
Slwt i'r hanner golchi dydd Gwener,
Slwt i'r asgwrn golchi dydd Sadwrn.

O Pali, rhowch y tegell ar y tân
A'r llestri a'r llwyau'n eu lle,
A gwnewch i'r hen forgan roi cân
I ni gael cwpanaid o de.

Hai ding a ding diri,
Mae poten yn berwi,
Sioni a Siani yn gweithio tân dani;
Sioni'n ei phupro â phupur a fflŵr,
Ychydig o laeth a llawer o ddŵr.

Hai dingi deri,
Poten yn berwi,
Sioni a Siani yn cynnau tân dani;
Sioni'n ei bwyta o wad o lwy fawr,
A het ar ei dalcen yn debyg i gawr.

Talala di, bara chaws,
Talala di, pwy a'i rhows?
Talala di, gwraig y tŷ
Rows y bara chaws i mi.

Dir caton pawb
A dau getyn pib,
Mae'n well gen i dwmplins
Na dim yn y byd.

Topsi, tipsi, brechdan a chig,
Be' gei di'n well i roi wrth dy big?

Di-ling, di-ling, pwdin yn brin,
Meistr yn cael tamaid, minnau'n cael dim.

Saith o'r gloch, cawl ar tân,
Wyth o'r gloch, swperu,
Naw o'r gloch, anhuddo'r tân,
Deg o'r gloch i'r gwely.

Mynd i'r gwely'n gynnar, bois,
Codi'n fore wiw,
Dyna'r ffordd i safio pres,
Dyna'r ffordd i fyw.

Diolch yn fawr am dŷ a thân
A gwely glân i gysgu,
Yn lle bod ar y mynydd draw,
Yn y gwynt a'r glaw yn sythu.

Creaduriaid

Dau gi bach yn mynd i'r coed,
Esgid newydd am bob troed;
Dau gi bach yn dŵad adre
Wedi colli un o'r 'sgidie.

Dau gi bach yn mynd i'r coed
Dan droi'u fferau, dan droi'u troed;
Dau gi bach yn dŵad adre,
Blawd ac eisin hyd eu coese.

Welwch chi fi, welwch chi fi,
Welwch chi'n dda, ga'i fenthyg ci?
Mae ci fy nhad wedi rhedeg y wlad,
A chi fy mam yn cerdded yn gam,
A chi Modryb Ann wedi mynd i'r llan,
A chi Modryb Gras o dan y ddas,
A chi Modryb Gwen â chur yn ei ben,
A chi Modryb Puw yn ddrwg ei glyw,
A chi Modryb Jên wedi mynd yn rhy hen,
A chi Modryb Elin wedi mynd i'r felin,
A chi Modryb Marged yn methu cerdded,
A chi Modryb Meri yn sâl yn ei wely,
A chi Modryb Catrin allan ers meitin,
A chi Modryb Emma, hwnna ddim yma,
A chi Modryb Sioned yn methu gweled,
A chi Bodo'r Post cyn ddalled â phost,
A chi Nhad-cu a chi Mam-gu
Wedi mynd allan efo'n ci ni.

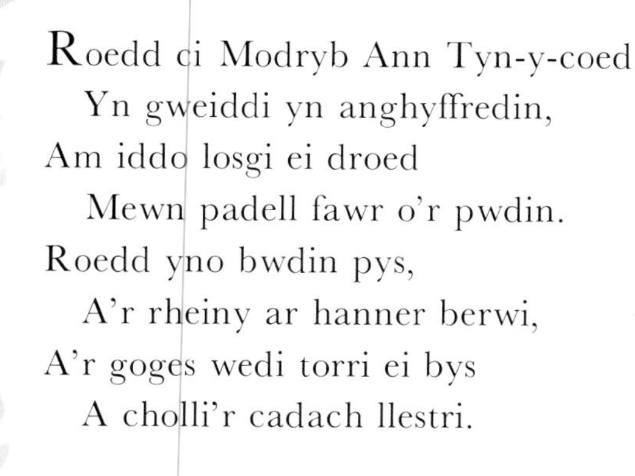

Roedd ci Modryb Ann Tyn-y-coed
Yn gweiddi yn anghyffredin,
Am iddo losgi ei droed
Mewn padell fawr o'r pwdin.
Roedd yno bwdin pys,
A'r rheiny ar hanner berwi,
A'r goges wedi torri ei bys
A cholli'r cadach llestri.

Ci mowr a chi bach yn *go to* wmla';
Towlodd y ci mowr y ci bach i'r llaca;
"*Come up again*," mynte'r ci mowr wrth y ci bach,
"Sych dy ben bach yn y borfa."

Pan oedd y ci ryw noson
Yn ceisio crafu'r crochon,
Roedd Wil o'r Pant, nai Beti Siân,
Yn cynnal bla'n ei gynffon.

Y ci mawr yn pobi, y ci bach yn corddi,
A'r gath ddu yn golchi ei hwyneb yn lân;
Y wraig yn y popty yn gwylio'r bara'n crasu,
A'r llygod yn rhostio y cig wrth y tân.

"Wel, wel,"
Ebe ci Jac Snel,
"Rhaid imi fynd i hel,
Neu glemio."

Pedwar enw sydd ar y gath –
"Titw", "pwsi", "*cat*" a "cath".

"Pwsi Meri Mew,
Ble collaist ti dy flew?"
"Wrth fynd i Lwyn-tew
Ar eira mawr a rhew."
"Pa groeso gest ti yno?
Beth gefaist yn dy ben?"
"Ces fara haidd du coliog
A llaeth yr hen gaseg wen."

"Pwsi Mew, Pwsi Mew,
Ble collaist ti dy flew?"
"Wrth gario tân
I dŷ Modryb Siân
Drwy'r eira mawr a'r rhew."

"Pwsi Meri Mew,
Ble collaist ti dy flew?"
"Wrth orwedd ar y marwor
A'r lludw wrth y tân,
Am nad oedd Modryb Gaenor
Yn cadw ei thŷ yn lân."

Titw Pws Mew
Losgodd ei blew
Wrth gario tân i Mari Tŷ-drew;
Mari Tŷ-drew,
'Rôl crasu torth dew,
Ballodd roi tamaid i Titw Pws Mew.

Mae gen i gath ddu 'fu erioed ei bath hi,
Hi gurith y clacwydd, hi dynnith ei blu;
Mae ganddi 'winedd a barf, a'r rheiny mor hardd,
Hi helith y llygod yn lluoedd o'r ardd;
Daw eilwaith i'r tŷ, hi gurith y ci –
Mi rown ichi gyngor i gadw cath ddu.

Cath nid yw ei bath yn bod,
O flaen y tân y mynn hi fod,
Yn pobi'i llygaid 'lle dal llygod.

Cath ddu i gadw'r gofid ma's o'r tŷ;
Cathau mis Mai ddônt â nadredd i'r tai;
Cathau Mehefin â'u trwynau'n yr enwyn;
Cath ddiarth yn 'sgubo'r buarth;
Cath ddof gan Siôn y gof.

Bu farw cath Doli,
Bu farw cath Gwen,
Bu farw cath Modryb
Gan gur yn ei phen;
Mae cath yn yr Hendre
Yn sâl o'r un clwy';
Mae melltith wedi dod
Ar gathod y plwy'.

"Ble mae cwrcyn Modryb Mali?"
"Ar ei gefn yn y dŵr."
"Achos beth mae'n cael ei foddi?"
"Achos 'fod e'n cadw stŵr."

Six and four is ten,
Bu farw'r hen gath wen;
Fe'i claddwyd hi yn y berllan
Â blaen ei chynffon allan.

"Mi fynna' i gael ceiniog."
"I beth? I beth?"
"I brynu rhaff i grogi'r gath
Am yfed lla'th y babi bach."

Hai ding y deri,
Ceffyl yn pori;
Pored ei wala,
Minnau bedola'.

Mi gwrddais â hen gel coch
Yn gyrru moch i'r mynydd,
Ac arno yr oedd twr o blant
Yn dwedyd clamp o gelwydd.

Mae gen i ebol melyn
O gwmpas tair blwydd oed,
A phedair pedol arian
O dan ei bedwar troed;
Fe neidiais ar ei gefen
I fynd tua Phen-y-lan,
I garu'r ferch benfelen
Sy'n byw 'da'i thad a'i mam.

Mae gen i ebol melyn
Yn codi'n bedair oed,
A phedair pedol arian
O dan ei bedwar troed;
Fe neidia ac fe brancia
O dan y feinir wen,
Fe reda ugain milltir
Heb dynnu'r ffrwyn o'i ben.

Mae'r ceffyl glas yn egwan,
A'r chwys oddi arno'n tropian;
Y ffordd ymhell a'r llwyth yn drwm,
Oddi yma i Gwm Gogerddan.

Mae heddiw'n ddydd Sadwrn
A 'fory'n ddydd Sul;
Cofia di, Robin,
Roi tamaid i'r mul.

Deryn y bwn o'r banna'
Aeth i rodio'r gwylia';
Lle disgynnodd o ar ei ben, ar ei ben,
Bwm bwm, bwm bwm,
Ond i bwn o 'fala'.

Deryn y bwn a gododd,
Y 'fala' i gyd a gariodd
Dros y banna' i farchnad Caer,
Bwm bwm, bwm bwm,
Ac yno'n daer fe'u gwerthodd.

'Fala', 'fala' filoedd,
'Fala' melyn laweroedd;
Y plant yn gweiddi am 'fala'n groch,
Bwm bwm, bwm bwm,
Rhoi dima' goch am gannoedd.

Deryn y bwn aeth adra,
Yn ôl dros ben y banna';
Gwaeddai, "Meistres, O gwelwch y pres,
Bwm bwm, bwm bwm,
A ges i wrth werthu 'fala'."

Aderyn y bwn o'r banna'
A aeth i rodio'r gwylia';
Ac wrth ddod adre ar hyd y nos,
Fe syrthiodd i ffos yr Wyddfa.

Robin goch ar ben y rhiniog
Yn gofyn tamaid heb un geiniog,
Ac yn dwedyd yn ysmala,
"Mae hi'n oer, fe ddaw yn eira."

Robin goch a'r dryw bach
Yn fy nghuro i fel curo sach;
Mi godais innau i fyny'n gawr
I daro robin goch i lawr.

Robin goch ym mhlwy' Rhiwabon
Lyncodd bâr o fachau crochon;
Bu'n edifar ganddo ganwaith,
Eisiau llyncu llai ar unwaith.

Y dyrnwr yn dyrnu,
Y ffidil yn canu,
A robin goch bach
Yn dawnsio'n y beudy.

Crio, crio, crio
Mae Robin ni yn groch;
Canu, canu, canu
O hyd mae'r robin goch.

CÂN Y GOG

"Cw-cw," medd y gog
Ar y gangen gonglog;
"Cw-cw," medd y llall
Ar y gangen arall.

Cwcw Clamai, cosyn dimai;
Cwcw Gŵyl Fair, cosyn tair.

"O gwcw, O gwcw, ble buost ti cyd
Cyn dod i Benparcau? Ti aethost yn fud."
"Meddyliais fod yma bythefnos yn gynt,
Mi godais fy aden i fyny i'r gwynt;
Ni wnes gamgymeriad, nid oeddwn mor ffôl –
Corwynt o'r gogledd a'm cadwodd i'n ôl."

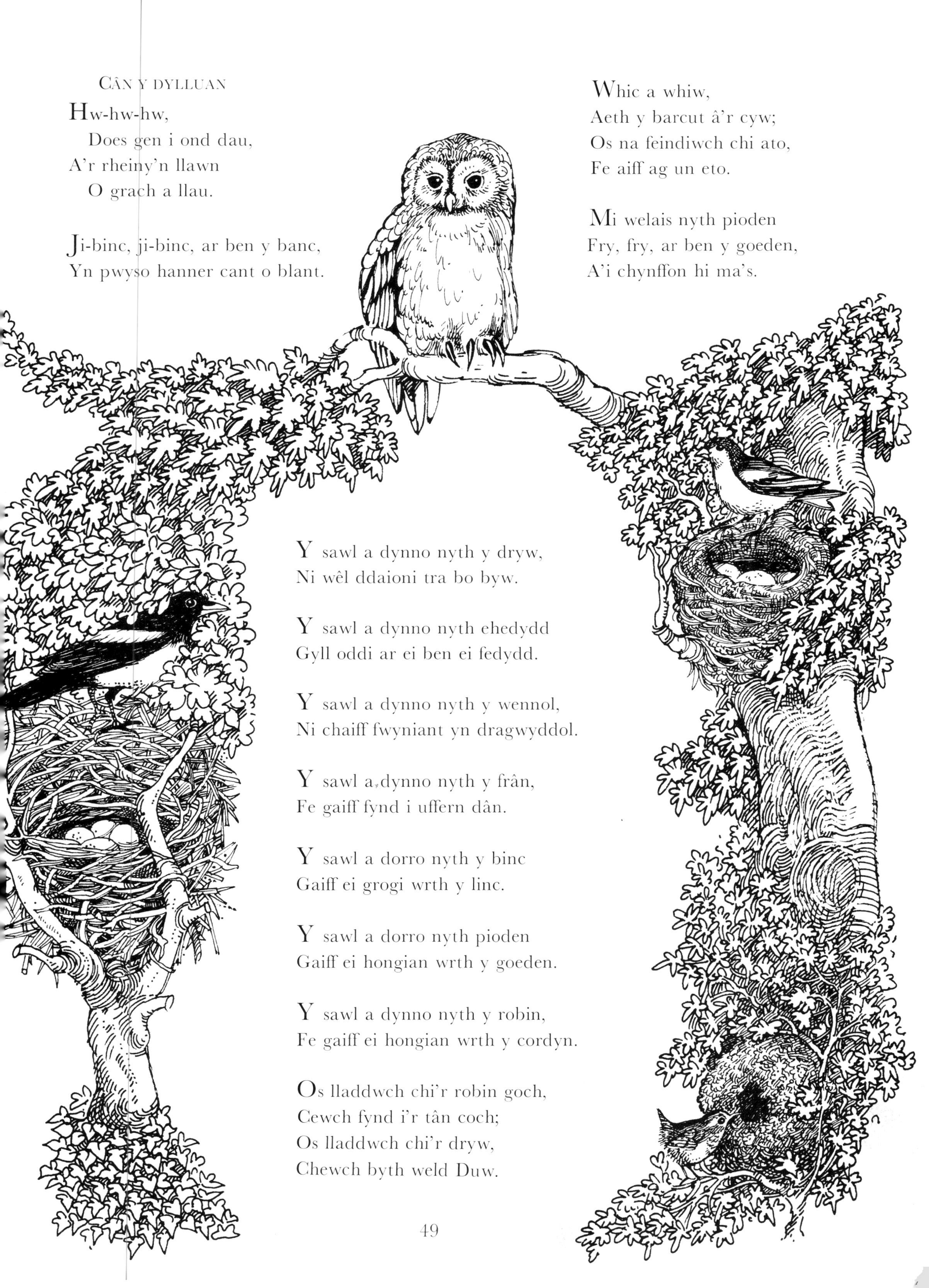

Cân y dylluan

Hw-hw-hw,
Does gen i ond dau,
A'r rheiny'n llawn
O grach a llau.

Ji-binc, ji-binc, ar ben y banc,
Yn pwyso hanner cant o blant.

Whic a whiw,
Aeth y barcut â'r cyw;
Os na feindiwch chi ato,
Fe aiff ag un eto.

Mi welais nyth pioden
Fry, fry, ar ben y goeden,
A'i chynffon hi ma's.

Y sawl a dynno nyth y dryw,
Ni wêl ddaioni tra bo byw.

Y sawl a dynno nyth ehedydd
Gyll oddi ar ei ben ei fedydd.

Y sawl a dynno nyth y wennol,
Ni chaiff fwyniant yn dragwyddol.

Y sawl a dynno nyth y frân,
Fe gaiff fynd i uffern dân.

Y sawl a dorro nyth y binc
Gaiff ei grogi wrth y linc.

Y sawl a dorro nyth pioden
Gaiff ei hongian wrth y goeden.

Y sawl a dynno nyth y robin,
Fe gaiff ei hongian wrth y cordyn.

Os lladdwch chi'r robin goch,
Cewch fynd i'r tân coch;
Os lladdwch chi'r dryw,
Chewch byth weld Duw.

Profiad

Mae gen i dipyn o dŷ bach tlws,
O dŷ bach tlws, o dŷ bach tlws,
A'r gwynt i'r drws bob bore;
Agorwch dipyn o gil y drws,
O gil y drws, o gil y drws,
Cewch weld y môr a'r llonge.

Mae gen i ddresel o'r dre,
Mor hardd â'r un trwy'r lle,
Cawell magu, dwy gadair dderi
A set o lestri te,
Tebot arian a chlamp o forgan
O'r harddaf yn y sir,
Wedi eu prynu i gael priodi,
Mae hynny'n ddigon gwir.

Mae gen i gwpwrdd cornel
A'i lond o lestri te,
A thebot yn y canol
A phopeth yn ei le.

Mae gen i gwpwrdd cornel
A set o lestri te,
A dresel yn y gegin
A phopeth yn ei le.

Mae gen i fegin newydd
A honno'n llawn o wynt;
Mae'r byd yn gwenu arnaf
Fel yn y dyddiau gynt.

Mae gen i dŷ fy hunan
Ac aelwyd fechan lân,
A'm tegell i fy hunan
Yn canu ar y tân.

Mae gen i bâr o glocs,
A'r rheiny'n bâr go dda,
Fe baran' dros y gaea'
A thipyn bach o'r ha';
Os cân nhw wadnau newydd
Fe baran' dipyn hwy –
Saith a dimai'r glocsen,
A phymtheg am y ddwy.

Mae gen i 'sgidiau byclau
A 'sanau gwyn i gyd;
Mae'r merched bach yn dwedyd
Mai fi yw top y byd.

Mae gen i drol a cheffyl
A merlyn bychan twt,
A phump o wartheg tewion
Yn pori ar y clwt.

Mae gen i gant o wyddau
Yn pori ar y banc;
Y clacwydd yw y sersiant,
Yn cadw nhw mewn rhanc.

Mae gen i gant o ddefaid
Yn pori ar y bryn,
A gallaf godi'm cyfrwy
Ar gefn fy ngheffyl gwyn.

Mae gen i darw penwyn
A gwartheg lawer iawn,
A defaid ar y mynydd
A phedair tas o fawn.

Mae gen i iâr a cheiliog
A hwch a mochyn tew;
Rhwng y wraig a minnau
Rŷn ni'n ei gwneud hi'n lew.

Mae gen i fochyn bychan,
Mae gen i fochyn mawr,
Mae gen i fochyn arall
Dyw'n fychan nac yn fawr.

Mae gen i iâr, mae gen i geiliog,
Mae gen i gywen felen gopog;
Mae gen i fuwch yn rhoi imi lefrith,
Mae gen i gyrnen fawr o wenith.

Mae gen i ebol melyn
A merlen newydd sbon,
A thair o wartheg blithion
Yn pori ar y fron.

Mae gen i edefyn sidan,
Mi dorraf f'enw f'hunan,
M ac *A* ac *O* ac *U*
A *double U for William.*

Dafi bach a minnau
Yn mynd i ffair y dre,
Dafi'n hoffi coffi
A minnau'n hoffi te.

Dafi bach a minnau
Yn mynd i Aberdâr,
Dafi'n 'mofyn ceiliog
A minnau'n 'mofyn iâr.

Dafi bach a minnau
Yn myned i Gaerdydd,
Dafi'n prynu 'sgidiau
A minnau'n twyllo'r crydd.

Ow! Deio bach a minnau
Yn mynd tua ffair Llan-non,
Deio'n hala dimai
A minnau'n prynu ffon.

Ow! Bili bach a minnau
Yn mynd tua'r Felin-fo'l,
Bili'n gweled neidr
A minnau'n rhedeg 'nôl.

Dafi bach a minnau
Yn mynd i'r Mynydd Du,
Dafi ar gefn donci
A minnau ar gefn ci.

Mari fach a minnau
Yn mynd tua Llundain drot
Ar gefn ceffyl coron
Â chyfrwy pedair grot.

Ifan bach a minnau
Yn mynd i ddŵr y môr,
Ifan yn codi'i goesau
A dweud fod y dŵr yn o'r.

Besi fach a minnau
Yn mynd i ddŵr y môr,
Besi'n cario'r gadair
A minnau'n cario'r stôl.

Bili bach a minne
Yn mynd i siop y pentre,
'Mofyn te a siwgwr brown
A phownd o siwgwr cnape.

Ifan bach a minne
Yn mynd i Lunden Glame
I godi gwarant ar y gath
Am yfed lla'th y bore.

Ifan bach a minnau
Yn mynd i Lundain Glamai,
Ac os na chawn ni'r ffordd yn glir
Fe neidiwn dros y cloddiau.

Ifan bach a minne
Yn mynd i Lunden Glame,
Mae'r gwynt yn oer a'r ffordd ymhell –
Mae'n well inni aros gartre.

Llywelyn bach a minnau
Yn mynd i ffair y Clamai,
Dod yn ôl ar gefn y frân
Â chosyn dwy a dimai.

Ifan bach a minnau
Yn mynd i werthu pinnau,
Un rhes, dwy res,
Tair rhes am ddimai.

Siani fach a minna'
Yn rhedeg am y cynta',
Un trwy'r bwlch a'r llall trwy'r ca'
Am hanner cant o bunna'.

Mari fach a minne
Yn mynd i ffair y Clame,
Mae'n un o'r gloch, mae'n ddau o'r gloch,
Mae'n dri o'r gloch y bore.

Shinc a Ponc a minnau
Yn mynd i ffair y pinnau,
Dod yn ôl ar gefn y frân
Â phwys o wlân am ddimai.

Pan es i gynta' i garu
  Nid o'wn ond bachgen bach,
Yn methu cyrraedd cusan
  Heb fynd i ben stôl fach;
Pan es i garu wedyn
  Yr o'wn yn fachgen mawr,
Yn gallu cyrraedd cusan
  A 'nwy droed ar y llawr.

Ladi fach benfelen
  Yn byw ar ben y graig,
Mi bobith ac mi olchith,
  Gwnaiff imi burion gwraig;
Mi startsith ac mi smwddith,
  Gwnaiff imi burion bwyd –
Fe wnaiff i'r haul dywynnu
  Ar ben y Garreg Lwyd.

Mi af i'r eglwys ddydd Sul nesa'
Yn fy sidan at fy sodla';
Dwed y merched wrth ei gilydd,
"Dacw gariad Wil y melinydd."
Os Wil y melinydd rwy'n ei garu,
Rhoddaf bupur iddo falu,
Llefrith mwyn i yrru'r felin,
A chocos arian ar yr olwyn.

Bûm yn byw yn gynnil, gynnil,
Aeth un ddafad imi'n ddwyfil;
Bûm yn byw yn afrad, afrad,
Aeth y ddwyfil yn un ddafad.

Y fi yw top y tebot,
Y fi yw top y to,
Y fi yw'r gŵr gorau
Fu'n gweithio ar y glo.

Mi es i Faesycroese,
Mi ges i groeso mawr –
'Falau wedi'u pobi
A stôl i eistedd lawr.

Mi fûm yn gweini tymor
Yn ymyl Tyn-y-coed,
A dyna'r lle difyrraf
Y bûm i ynddo erioed;
Yr adar bach yn canu
A'r coed yn suo 'nghyd –
Fy nghalon fach a dorrodd
Er gwaetha'r rhain i gyd.

Nid oes gen i na buwch na dafad
Nac iâr na cheiliog wrth fy ngalwad,
Ond bwth o dŷ a hwnnw'n fudr
Â thwll o ffenest heb un gwydr.

Cymeriadau

Bachgen bach o Ddowlais
  Yn gweithio 'ngwaith y tân,
Bron â thorri'i galon
  Ar ôl y ferch fach lân;
Ei goesau fel y pibau
  A'i freichiau fel y brwyn,
Ei ben e fel pytaten
  A hanner llath o drwyn.

Bachgen bach o Felin-y-wig,
Welodd o 'rioed damaid o gig;
Gwelodd falwen ar y bwrdd,
Cipiodd ei gap a rhedodd i ffwrdd.

Bachgen bach o dincer
  Yn myned hyd y wlad,
Cario'i becyn ar ei gefn
  A gweithio'i waith yn rhad;
Yn ei law roedd haearn
  Ac ar ei gefn roedd bocs,
Pwt o getyn yn ei geg
  A dan ei drwyn roedd locs.

Siôn Owen grwtyn,
  Amser cinio mawr,
Ddygodd lond y fasged
  O 'falau Harri Fawr;
Harri Fawr yn gweiddi,
  "Falau imi'n ôl!"
A Siôn Owen grwtyn
  A drodd yn ei ôl.

Bachgen drwg o dwll y mwg
A wnaeth y drwg diwetha';
Dygodd gosyn 'ar hen wraig,
Aeth dan y graig i'w fwyta.

Y bachgen bochgoch â'r bochau brechdan
A'r bais dew, o ble doist ti?

Welsoch chi Jini mewn difri?
Yn tydi hi'n grand aneiri'?
Heten grand a bwcwl a band –
Yn tydi hi'n grand mewn difri?

Beti Bwt ystadlu,
Het â chorun digri.

Ladis bach y pentre
Yn gwisgo cap a lase,
Yfed te â siwgwr gwyn
A chadw dim i'r llancie;
Modrwy aur ar ben pob bys
A chwr eu crys yn llapre.

Daw dydd Sadwrn, daw dydd Sul,
Daw Mari fach â'r cart a'r mul.

Mari John, ffidil a ffon,
Cyllell a bilwg i chwarae ding-dong.

Wil ffril ffralog
Â'i gleddau tair ceiniog
Yn erlid y llygod trwy'r lludw;
Aeth y llygod i'r dowlad,
Aeth Wil i 'mo'yn lletwad;
Aeth y llygod i'r ddôl,
Aeth Wil ar eu hôl;
Aeth y llygod i foddi,
Aeth Wil i gysgu.

Wil ffal lal
A'i geffyl tal
Yn mynd i Aberteifi;
Fe gwympodd 'nôl,
Y mwnci ffôl,
A chollodd hanner gini.

Gruffydd Elis, druan dro,
Aeth i'r ffair i werthu llo;
Dŵad adre ar gefn hwyaden,
Wedi gwerthu'r llo am chweugen.

Dic Golt a gysgodd yn y cart,
Fe'i 'sbeiliwyd o'i geffyle,
A phan ddihunodd, holi wnâi,
"Ai Dic wyf i ai nage?
Os Dic wyf i, ces golled flin,
Mi gollais fy ngheffyle,
Ac os nad Dic, rwy'n fachgen smart –
Enillais gart yn rhywle."

Fe aeth Gwen ryw fore i odro,
Padell bridd oedd rhwng ei dwylo;
Tra bu'r fuwch yn siglo'i chynffon
Aeth y badell bridd yn deilchion.

Pegi Ban a aeth i olchi,
Eisiau dillad glân oedd arni;
Tra bu Peg yn 'mofyn sebon
Aeth y dillad gyda'r afon.

Beti Bwt a aeth i gorddi,
Eisiau menyn ffres oedd arni;
Tra bu Bet yn 'mofyn halen
Aeth yr hwch i'r crochan hufen.

Fe gwympodd Mari Rhydwb
Dros geulan serth Cwm Wbwb;
Wrth fynd i lawr nis gallai hi
Wneud dim ond gweiddi "Iwbwb!"

Mi welais Elin Parri
Yn mynd â'r ieir i'r dŵr;
Mae'r ceiliog wedi boddi,
Mae'r stori'n ddigon siŵr.

Aeth fy Ngwen i ffair Pwllheli,
Eisiau padell bridd oedd arni;
Rhodd amdani saith o sylltau –
Cawswn i hi am dair a dimai.

Y Cobler Coch o Ruddlan
A aeth i foddi cath
Mewn cwd o liain newydd,
Nad oedd o damaid gwa'th;
Y cwd aeth efo'r afon,
Y gath a ddaeth i'r lan –
Ow'r Cobler Coch o Ruddlan,
On'd oedd o'n foddwr gwan?

"Doctor Sbectol,
How di dw?"
"Cweit wel, thenciw,
Gymra' fy llw."

Tomos Jones yn mynd i'r ffair
Ar gefn ei farch â'i gyfrwy aur;
Ac wrth ddod adre cwyd ei gloch,
Ac yn ei boced afal coch.

Mistar Tomos, druan,
Aeth i awchu'i gryman;
Trodd ei gefn ar y wal
A thorrodd drwyn ei hunan.

Twm yr Ieir aeth lawr i'r dre
A iâr a cheiliog gydag e;
Canodd y ceiliog, "Go-go-go!"
Gwaeddodd Twm, "Helô, helô!"

Hob y deri dando,
Aeth y wraig i Benfro
I 'mofyn 'sgidiau o groen llo,
A'r fuwch heb fod yn gyflo.

Chandler coch canhwyllau
Yn byw ar ben y twyn,
Yn torri clustiau'r defaid
A nodi clustiau'r ŵyn.

Teiliwr du bach
Yn gwisgo cot lwyd,
Yn ennill tair ceiniog
A thri phryd o fwyd.

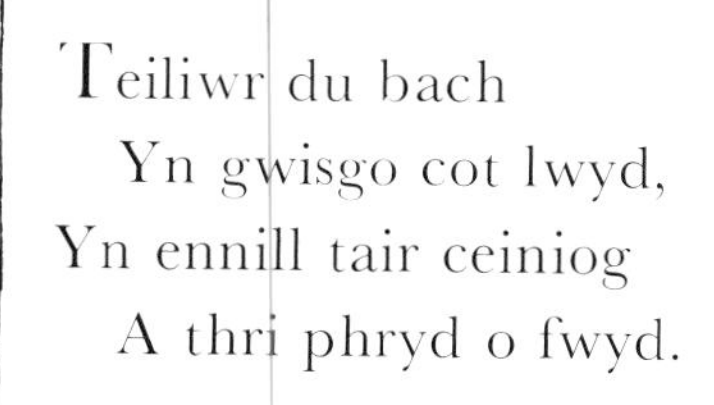

Sioni bach y clocsiwr crwm
Weithiodd bâr o glocs i Twm;
A Twm yn achwyn ers diwrnodau
Fod y drain yn pigo'r gwadnau.

Dacw dŷ a dacw do,
Dacw efail Siôn y go';
Dacw Siani'n tannu'r gwely,
Dacw Siôn yn edrych arni.

Dacw dŷ a dacw do,
Dacw efail Siôn y go';
Dacw Mali wedi codi,
Dacw Siôn â'i freichiau i fyny.

Ci a chath a chyw a chywen
Yw cwmpeini Marged Owen;
Pan fo Marged Owen brudda',
Daw y rhain o'i blaen i chwara'.

Cwch bach yn nofio
Ar ganol y môr;
Pedwar dyn ynddo
A'r rheiny'n edrych 'nôl.

Cwch bach ar y môr,
Pedwar dyn yn rhwyfo;
Siami Pwdwr wrth y llyw
Yn gweiddi, "Dyn a'm helpo!"

Sioni brica moni
  Yn berchen buwch a llo
A gafr fach a mochyn
  A cheiliog, go-go-go!

Sioni moni, coesau meinion,
Cwt y gath yn lle gardyson,
Cwt y cwrcath am ei wddwg –
Dyna ffasiwn gwŷr Morgannwg.

Sioni bach, ŵr diflin,
Sy'n gwisgo cap â phlufyn,
  Pantalŵns a siaced grop –
Y fe yw top y gegin.

Tri pheth a fedr Elis:
Rhwymo'r eisin sil yn gidys,
Dal y gwynt a'i roi mewn coden,
Rhoi llyffethair ar draed malwen.

Dafi Siencyn Morgan
Yn codi'r dôn ei hunan,
A'i isa' ên e nesa' i fiwn,
A dyna'r ffordd i ddechrau tiwn.

Weli di'r gwynt, weli di'r glaw,
Weli di'r deryn bach fan draw?
Weli di'r dyn â'r britis lledr
Yn saethu llongau brenin Lloegr?

Siôn a Siani Siencyn
  Yn byw yn Sir y Fflint;
Siân yn ennill chweugain
  A Siôn yn ennill punt.

Siôn a Siân a Siencyn
  Fu'n byw yn Sir y Fflint,
Yn berchen tai a thiroedd
  Ac aur ac arian gynt;
Bu farw Siân heb adael
  Dim arian ar ei hôl,
Ond ffiol, llwy a lletwad,
  A sgilat fach a stôl.

Siôn a Siân o boptu'r tân,
Sbio ar ei gilydd cyn ddued â'r frân;
Siân eisiau hwyaid i nofio ar y llyn,
Siôn eisiau ebol i bori ar y bryn.

Siôn a Siân oddeutu'r tân,
Yn bwyta blawd ac eisin mân;
Maent yn hynod anghariadus,
Maent yn gas a drwg eu hewyllys,
'Sg'luso'u gwaith yn hwyr a bore,
Hela straeon am y gore.

Hen fenyw fach Cydweli
Yn gwerthu losin du,
Yn rhifo deg am ddime
Ond un ar ddeg i mi.

Hen fenyw fach o'r North
Fwytaodd y dorth;
Chas hi ddim digon,
Bwytaodd y crochon.

Hen wraig fach yn y gornel
Â phib yn ei phen,
Yn smocio llaeth enwyn –
Dyna'r stori ar ben.

Hen wraig fach yn gyrru gwyddau
Ar hyd y nos,
O Langollen i Ddolgellau
Ar hyd y nos,
Ac yn dwedyd wrth y llanciau,
"Gyrrwch chi, mi ddaliaf innau,"
O Langollen i Ddolgellau
Ar hyd y nos.

Hen wraig fach yn bwyta pennog
Ar hyd y nos,
Ac yn slempian yn gynddeiriog
Ar hyd y nos;
Bwyta'r pen a bwyta'r gynffon,
Cnoi yr esgyrn mân yn ysfflon,
Yna yfed dŵr yr afon
Ar hyd y nos.

Hen wraig fach yn mynd trwy'r plwy',
Bitrwm batrwm *romanees*,
A chanddi bais o wlanen lefn
Â streip o groes ar draws ei chefn,
Miri-miri dacsus, *ducks and geese*.

Aeth hen wraig i'r dre i brynu pen tarw,
Pan ddaeth hi'n ôl roedd y plant wedi marw;
Aeth i'r llofft i ganu'r gloch,
Cwympodd lawr i stond y moch.

Hen wraig fach o ymyl Rhuthun
Aeth i'r afon i oeri'i phwdin;
Tra bu'n siarad â'i chymdogion
Aeth ei phwdin efo'r afon.

Hen wraig fach ar ben y garreg olchi
Daflodd ei chlocsen i ganol y cenlli;
Hen wraig arall yn clapio'i dwylo
O lawenydd ei gweld hi'n nofio.

Hen wraig fach yn byw dan y gogor,
Hen ddrws bach yn cau ac yn agor.

Mi welais beth heddiw
Na welais erioed,
Hen fenyw'n priodi
Yn saith ugain oed,
Heb damaid o gopyn
Na dant yn ei gên –
Beth roedd yr hen fenyw
'Mo'yn priodi mor hen?

Hen dŷ, hen do,
Hen bobol ynddo;
Hen fenyw ar ben y tŷ
Yn golchi ei phen â sebon du.

Hen dŷ, hen do,
Hen ddrws heb ddim clo,
Hen ffenest heb ddim gwydr,
Hen wraig â wyneb budr.

Robin dir-rip
Â'i geffyl a'i chwip,
A'i gap yn ei law,
Yn rhedeg trwy'r baw.
Cliriwch y stryd
A sefwch mewn rhenc,
Mae Robin ding-denc yn dŵad.
Jac bach y pentref
Yn torri pennau plant,
Dodi nhw mewn cwdyn
A rhedeg â nhw bant,
Taflu nhw i'r môr
A'u codi nhw i'r lan,
Dim ond am hanner
Torth gan.
Lewis Lewis,
Llawes lwyd,
Werthodd ei fam
Am damaid o fwyd.
Nedi ddrwg o dwll y mwg,
Gwerthu'i fam am ddimai ddrwg.

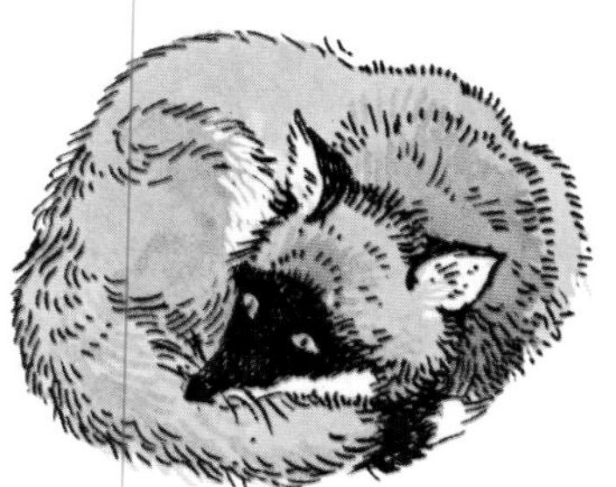

Bonheddwr mawr o'r Bala
Ryw ddiwrnod aeth i hela
   Ar gaseg denau ddu;
Carlamodd ar ei gaseg
O naw o'r gloch tan ddeuddeg
   Heb unwaith godi pry'.

O'r diwedd cododd lwynog
Yn ymyl tŷ cymydog
   A'r corn a roddodd floedd;
Yr holl fythei'd redasant
A'r llwynog coch ddaliasant –
   Ond ci rhyw ffarmwr oedd.

Wrth fynd yn ôl o hela
Daeth y bonheddwr tila
   I groesi hen bont bren;
Ond chana'i ddim ychwaneg –
Fe syrthiodd efo'i gaseg
   I'r afon dros ei ben.

Amser a thywydd

Dyma'r flwyddyn wedi dod,
Y flwyddyn orau fu erio'd;
O dyma'r flwyddyn newydd,
A blwyddyn newydd dda i chi!

Codwch yn fore, cynnwch y tân,
Ewch i'r ffynnon i nôl dŵr glân;
O dyma'r flwyddyn newydd,
A blwyddyn newydd dda i chi!

Blwyddyn newydd dda i chi,
Holl deulu llon;
Gobeithio cewch chi iechyd
I dreulio'r flwyddyn hon;
A minnau'n fachgen serchus
Yn derbyn ceiniog goch,
Rwyf ar fy nhraed yn cerdded
Cyn taro un o'r gloch.

Blwyddyn newydd dda i chi, bawb trwy'r tŷ,
Mr. and Mrs. and all the family.

Rhowch galennig yn galonnog
I ddyn gwan sydd heb un geiniog;
Cymaint roddwch, rhowch yn ddiddig,
Peidiwch grwgnach am ryw 'chydig.

Fe ddaw Gŵyl Fair, fe ddaw Gŵyl Ddewi,
Fe ddaw'r adar bach i ganu.

Dydd Mawrth Ynyd,
Crempog bob munud.

Modryb Elin ennog,
Os gwelwch chi'n dda, ga'i grempog?
Cewch chithau de â siwgwr gwyn
A phwdin lond eich ffedog.

Modryb Elin ennog,
Mae 'ngheg i'n grimp am grempog;
Mae Mam yn rhy dlawd i brynu blawd,
A Siân yn rhy ddiog i nôl y triog,
A Nhad yn rhy wael i weithio –
Os gwelwch chi'n dda, ga'i grempog?

Clap, clap, gofyn wy,
Bechgyn bach ar ben y plwy'.

Daw Clame, daw Clame,
Daw dail ar bob llwyn,
Daw Meistr a Meistres
I siarad yn fwyn.

Llidiart newydd ar gae ceirch,
A gollwng meirch o'r stablau,
Cywion gwyddau ac ebol bach –
Bellach fe ddaw Calanmai.

Pan ddaw'r hafddydd
Awn i'r meysydd;
Casglwn flodau teg eu lliw,
Gwnawn bosïau o bob rhyw.

Dacw rosys ar y bryn,
Rhosyn coch a rhosyn gwyn;
Rhosyn coch a gyll ei flodau,
Rhosyn gwyn gymeraf innau.

Mae heno'n nos Glangaea',
A bwci ar bob camfa,
A Jac-y-lantern ar yr hewl –
Rhaid mynd neu ca' fy nala.

Mae heno'n nos Glangaea',
Mae'n bwrw glaw ac eira,
Mae Jac Glandŵr â'i lafur ma's,
A fe yw'r gwas cynhara'.

Nos Glangaea', twco 'fala',
Pwy sy'n dod ma's i chwara'?
Ladi wen ar ben y pren
Yn naddu coes ymbrelo.

Bwgan bo lol a thwll yn ei fol,
Digon o le i geffyl a throl.

Bwci Bal yn y wal,
Bwci Beto nesa' ato.

Hwch ddu gwta
Ar bob camfa,
Yn nyddu a chardio
Bob nos Glangaea'.

Adre, adre, am y cynta',
Hwch ddu gwta gipio'r ola'.

Gwern a helyg
Hyd Nadolig;
Bedw, os ceir,
Hyd Ŵyl Fair;
Cringoed caeau
O hynny hyd Glamai;
Briwydd y frân
O hynny 'mla'n.

Mae gen i ac mae gan lawer
Gloc ar fur i gadw amser;
Mae gan Moses Pantymeysydd
Un yn tŷ i gadw tywydd.

Yr wylan fach adnebydd
Pan fo'n gyfnewid tywydd;
Hi hed yn deg ar aden wen
O'r môr i ben y mynydd.

Enfys y bore,
Aml gawode;
Enfys prynhawn,
Tegwch a gawn.

Awyr goch y bore,
Brithion gawode;
Awyr goch prynhawn,
Tegwch a gawn.

Buwch goch gota,
P'un ai glaw neu hindda?
Os taw glaw, cwymp o'm llaw;
Os taw haul, hedfana.

Mae chwil y baw yn canu,
Cawn dywydd teg yfory;
Nid oes fawr goel ar chwil y baw,
Gall fod yn law serch hynny.

BWRW EIRA

Hen wraig yn pluo gwyddau,
Daw yn fuan ddyddiau'r gwyliau.

Jini, jini flewog,
Dod o flaen y gawod.

Mae'n bwrw glaw allan,
Mae'n deg yn y tŷ,
A merched Dol'ronnen
Yn cribo'r gwlân du.

Mae'n bwrw glaw allan,
Mae'n braf yn y tŷ,
A golchi ei hwyneb
Y mae y gath ddu.

Mae'n bwrw glaw allan,
Mae'n hindda'n y tŷ,
Mae Jac Abertegan
Yn cyfarth fel ci.

Y lleuad wen, fain, olau,
Sy'n mynd ar ei siwrnai;
Y mae'n gogwyddo tua'r *West*
A'i hanner jest yn eisiau.

Glaw, glaw, cer ffordd draw,
Tyred eto ddydd a ddaw.

Mae'n bwrw glaw, mae'n chwythu gwynt,
Mae tŷ Siôn Cwilt yn siglo;
Mae'n chwythu gwynt, mae'n bwrw glaw,
Mae tŷ Siôn Cwilt wrth ochor y claw'.

Mae'n bwrw glaw mân
Ar ben tŷ Siân;
Mae'n bwrw glaw trwm
Ar ben tŷ Twm;
Mae'n bwrw ceser
Ar ben tŷ Esther;
Mae'n bwrw eira
Ar ben tŷ Meira.

Bys i fyny,
Teg yfory;
Bys i lawr,
Glaw mawr.

Niwl o'r mynydd,
Gwres ar gynnydd;
Daw niwl o'r môr
Â glaw yn stôr.

Cawod ar y llanw,
Tyn dy got a dod hi i gadw;
Cawod ar y trai,
Dod dy got a chadw hi 'nghau.

Iorus y gwynt ac Ifan y glaw
aflodd fy nghap i ganol y baw.

Gwynt a glaw,
Cer ffordd draw;
Haul a gwres,
Dere'n nes.

Dysgu a Chwarae

A sydd am afal

a **B** am y bwrdd,

Dd am y ddafad
a gadwodd
fath stŵr;

E am yr ebol
sy'n agos i'r llwyn,

F am ei feistr

H am hwyaden

ac **I** sydd am ieir,

L am y lili
mewn gardd fach
a geir;

O am yr olwyn

a **P** am y plant,

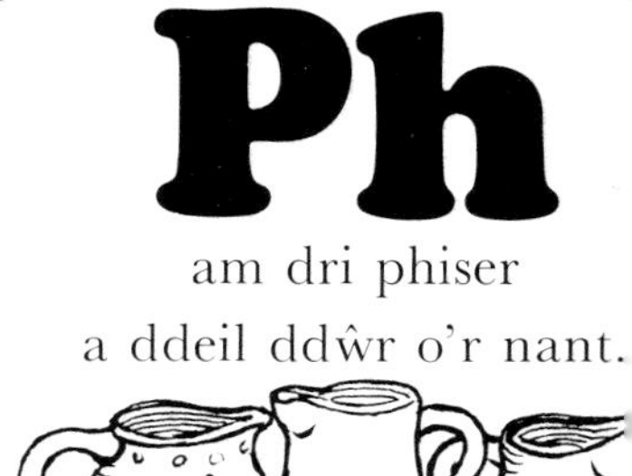

Ph am dri phiser
a ddeil ddŵr o'r nant.

T am y tyddyn
lle clywn gân y ferch,

Th am ei thelyn
a ennill
ein serch;

U am yr utgorn

C
m y ceiliog
lodd i ffwrdd;
Ch
am y chwarel
a D
am y dŵr,
ac Ff
n ei ffrwyn;
G
am y gwely
lle gorwedd y plant,
Ng
am fy nghapan
a chwythwyd i'r nant;
Ll
am y llygod
a gilia yn syth,
M
am y mochyn
ac N
am y
nyth;
R
am y robin
a Rh
am y rhiw,
S
am y sidan
sydd mor
dlws ei liw;
c W
am yr ŵyn,
Y
am yr ysgol
lle cenir yn fwyn.

Mae gen i
Un gaseg yn pori,
Dwy yn y plwy',
Tair yn y ffair,
Pedair heb ddim pedol,
Pump yn eu crimp,
Chwech yn y frech,
Saith yn y gwaith,
Wyth yn y ffrwyth,
Naw yn y glaw,
A deg yn pori gwair Ton-teg.

Un, dau, tri,
Mam yn dal pry';
Pry' wedi marw,
Mam yn crio'n arw.
Four, five, six,
Mam yn crasu wics;
Wics yn llosgi
A Mam yn tafodi.
Seven, eight, nine,
Mam yn dal chwain;
Chwain yn pigo
A Mam yn cicio.

Mae gen i
Geffyl yn pori;

Gen i ddau
Yn torri cnau;

Gen i dri
Yn nhŷ Mam-gu;

Gen i bedwar
Yn nhŷ Nwncwl Edwart;

Gen i bump
Yn Sir y Fflint;

Gen i chwech
Yn y frech;

Gen i saith
Yn y gwaith;

Gen i wyth
Dan y llwyth;

Gen i naw
Yn y baw;

Gen i ddeg
Ym Mryn-teg
Yn ennill deg a dimai.

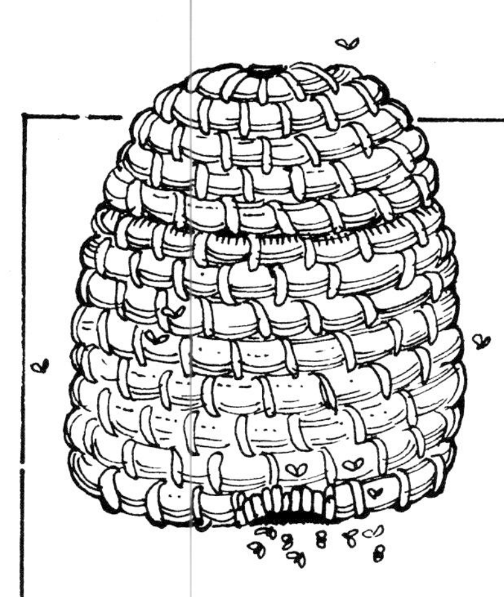

Dwmbwr-dambar lawr trwy'r sta'r –
Beth yw *honey* yn Gymraeg?

I wneud pos iawn o hwn, dywedwch ef ar lafar; wedyn bydd "honey" *yn swnio fel "hynny".*

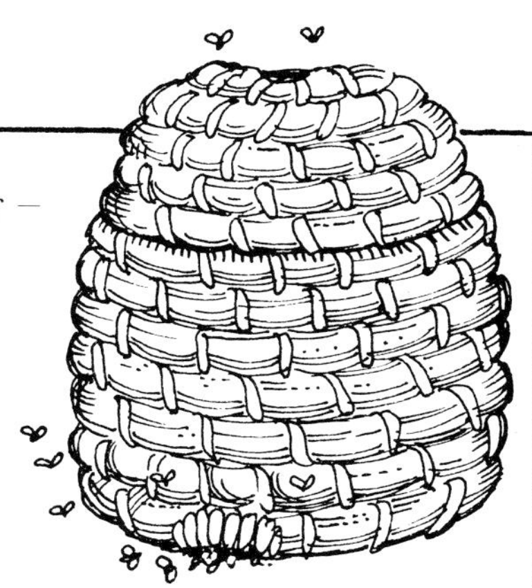

Du, du, fel y frân,
Llathen o gynffon â thwll yn ei bla'n.

Dicwm dacwm, dacw fe,
Â chapan corn ar ei ben e.

Fe aned plentyn yn Llan-gan,
Nid mab i'w dad, nid mab i'w fam,
Nid mab i Dduw, nid mab i ddyn,
Ond yn blentyn perffaith fel pob un.

Beth wneir â merch benchwiban?
Beth wneir â cheffyl bychan?
Beth wneir â thaflod heb ddim gwair?
Beth wneir mewn ffair heb arian?

Ateb
Wel, rhoi y ferch benchwiban
I werthu'r ceffyl bychan,
A chadw'r daflod nes dêl gwair,
A mynd i'r ffair â'r arian.

Clymau tafod

Mae cwrcath bach glas gyda'n cath las ni,
Ac mae cwrcath bach glas gyda'ch cath las chi,
Ond mae cwrcath bach glas ein cath las ni
Yn saith waith gwaeth cwrcath
Na chwrcath bach glas eich cath las chi.

Dwy ŵydd radlon
Yn pori 'nglan yr afon,
Rhadloned â'r rhadlonaf ŵydd,
Dwy ŵydd radlon.

Tarw corniog, torri cyrnau,
Heglau baglog, higlau byglau,
Higlau byglau, heglau baglog,
Torri cyrnau tarw corniog.

Caseg winau, coesau gwynion,
Ffroenwen denau, carnau duon,
Carnau duon, ffroenwen denau,
Coesau gwynion caseg winau.

Ac hosan ddu, coes un ddel,
Fel a'r fu, fel a'r fel,
Fel a'r fel, fel a'r fu,
Coes un ddel ac hosan ddu.

Llanbedr-ar-fynydd a Llanbedr-y-fro,
Pen y Cas'newydd ac efail y go',
Llanbedr-y-fro a Llanbedr-ar-fynydd,
Efail y go' a phen y Cas'newydd.

Dicwm dacwm,
Tair troed ffwrwm,
Mi euthum i'r cwm,
Mi gefais godwm;
Ni welais erioed
Na chwm na choed,
Na choed na chwm
Na chawswn i godwm.

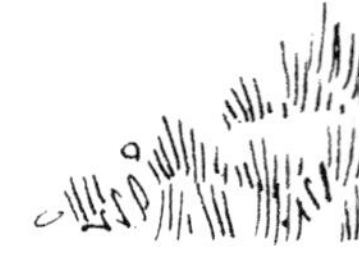

Y pren ar y bryn,
Y gainc ar y pren,
Y nyth ar y gainc,
Yr wy yn y nyth,
A'r cyw yn yr wy,
A'r wy yn y nyth,
A'r nyth ar y gainc,
A'r gainc ar y pren,
A'r pren ar y bryn;
Ffeind a braf oedd y bryn
Lle tyfodd y pren
A ddaliodd y gainc
A ddaliodd y nyth
A ddaliodd yr wy
A'r deryn bach bach.

Chwaraeon

Bwrddwn, barddwn,
P'un o'r ddau ddwrn?
Dicwn, dacwn,
Dacw fe.

Carreg o'r nant wnaiff Iant,
Carreg o'r to wnaiff Ianto,
Carreg o'r cwm wnaiff Ianto Twm,
A thwll yn ei grys wnaiff Ianto Twm Rhys.

Dyma dy fara di,
Dyma dy gaws di,
Dyma'r gŵr bach
A dynniff dy waed di.

Herc i herc, mi dorrais fy nghlun;
Mi gollais fy nghywion bach bob un.
A welsoch chi un cyw bach penfelyn
Yn pigo'r eisin dan y felin?

Un, dau, eto tri,
Mi wela' ar y tŷ,
Pedwar, pump, eto chwech,
Dyna blentyn yn rhoi sgrech,
Saith, wyth, naw, deg,
Eto'n dilyn un ar ddeg.

Un, dau, torri cnau,
Tri, pedwar, dwmbwr-dambar,
Pump, chwech, gad dy sgrech,
Saith, wyth, cario llwyth,
Naw, deg, cau dy geg.

Doethineb

Mae danadl yn bethau poeth
Fan lle byddo'r croen yn noeth;
Er nad ŷnt ond llysiau mân,
Maent yn llosgi fel y tân.

Cosi ar y llygad dde,
Llawenydd o bob lle;
Cosi ar y llygad chwith,
Dagrau fel y gwlith.

Cosi ar eich penelin chwith,
Rhywun dieithr ddaw i'ch plith.

Dwy frân ddu,
Lwc dda i mi.

Piogen wen, piogen ddu,
Lwc i mi.

Gweld oen du,
Dim lwc i mi.

Mi a' i Lanberis ddydd Sul nesa',
Oni ddaw Llanberis yma;
Mae'n ddau haws i mi fynd yno
Nag i Lanberis fawr symudo.

Brân ddu ar dip Waunfawr;
Os nad aeth hi odd'na,
Mae hi yna nawr.

Cyfrif allan

Owen Goch o dan y castell
Brynodd imi bais a mantell –
Bys coch, bys cam, bys mwyn, bys mam,
Bys y cogwrn ALLAN!

Fyn di fantell, asgwrn, asgell,
Dos di, Hywel Goch, i'r castell,
Pryna imi bais a mantell.
Gutyn Gwta, be' wyt ti'n fwyta?
Bys du, bys cam, bys chwerw chwingam,
Dos o gell ac ALLAN!

Wanar yn twar yn ticar yn tan,
Bottle of vinegar I began,
Cwesy, cwesy, *can my lady,*
O – U – T, OUT!
Gwialen fedw Robin Stowt;
Crwtyn bach, mab i wrach,
Dos di allan, leidr bach!

Bys du, bys cam, bys feri fongam,
Asgell y gogell, pryfyn y bryfell,
Newyrth Siôn Coch o'r castell –
Pwy ddaw ma's gyda mi
I brynu pais goch a mantell?
Dimai y wain, ceiniog y gyllell,
Sawl a ddelo i fyned ALLAN!

Bilsi, balsi, bysedd a'r dde,
Jack for a penny yesterday,
So be so ac *O* ac *U*,
T a trump and tarry true,
O – U – T, OUT!
Gwialen fedw bur stowt.

Cyfarchion

"Faint ydi o'r gloch?"
"Amser rhoi bwyd i'r mochyn coch."

Da boch! Mae'n un o'r gloch,
Mae'n bryd i'r moch gael tato.

"Be' ydi dy oed di?"
"Yr un oed â bawd fy nhroed
A thipyn hŷn na 'nannedd."

Dannedd

Dant du, du i'r ci,
Dant gwyn, gwyn i mi.

Iâr ddu, iâr wen,
Tafla' 'nant dros fy mhen.

Daint melys i'r gath,
Daint chwerw i'r ci,
Daint melyn i'r mochyn,
Daint gwyn i mi.

Lleoedd

Ding dong bele,
Canu cloch 'Bertawe;
Tynnu'r rhaff o dan y drws
A chanu cloch y Betws.

Y Bala aeth, a'r Bala aiff,
A Llanfor aiff yn llyn.

Pedwar llew tew
Heb ddim blew,
Dau'r ochor yma,
Dau'r ochor drew.

Mi welaf bont y Tyra,
Mi welaf bond Rheola,
Mi welaf siop y Dderi Fach,
Mi welaf Bentreclwyda.

Beth gei di ar bont y Tyra?
Beth gei di 'mhond Rheola?
Beth gei di'n siop y Dderi Fach?
Beth gei di 'Mhentreclwyda?

Caf rodio pont y Tyra,
Caf ddŵr ym mhond Rheola,
Caf fwyd yn siop y Dderi Fach,
Caf fyw ym Mhentreclwyda.

Mi af i lawr i Milffwrd
I weld y *seventy-four;*
Ei *bow* sydd tua'r castell
A'i *stern* hi tua'r môr.

Llan-llwch a fu,
Caerfyrddin a sudd,
Abergwili a saif.

Mae yn y Bala flawd ar werth,
Ym Mawddwy berth i lechu,
Mae yn Llyn Tegid ddŵr a gro
A gefail go' i bedoli,
Ac yng Nghastell Dinas Brân
Ddwy ffynnon lân i 'molchi.

Eglwys fach Pencarreg
Ar ben y ddraenen wen,
A chlochdy mawr Llan'bydder
Yn Nheifi dros ei ben.

Abergwesyn, cosyn coch,
Mae cloch yn Abertawe;
Mae eidion coch yng nghoed Plas Gwent,
A pharliament yn Llundain.

Do, fe brynais gyllell ddima'
I dorri ffenest yn yr Wyddfa,
I gael gweled Blaenau 'Stiniog,
Lle mae merched, saith am geiniog.

Trawsfynydd, hen le hyll,
Dynion cam yn torri cyll.

Ding dong bele,
Tair cloch Clyde;
Tair cloch our
Ym Mhen-boyr;
Tair cloch arian
Yng Nghilgerran;
Lladd a llosgi
Yng Nghastellnewy';
Llefain a gweiddi
Yn Aberteifi;
Och, och
Yn Llandudoch.

Mae'n o'r, mae'n o'r
Ar lan y môr;
Mae'n oerach, mae'n oerach,
Yn Llangyfelach.

Mae castell yng Nghaerffili,
A gwely pluf i gysgu,
A lle braf i chwarae whic
Wrth gefn Piccadilly.

Llan-faes, Llan-fair, Trefflemin,
A Silstwn a'r Hen Felin,
Os aiff cardotyn ar eu traws,
Caiff fara chaws a menyn.

Troi a throsi, troi i ble?
I Abergele i yfed te.
Mae gen i dorth yn y tŷ
Yn llawn o gwrens du,
Lwmpyn o fenyn a phen 'sgadenyn
A bobwyd yn y tŷ.
O dyna le am deisen,
O dyna le am deisen,
O dyna le am deisen
Yw Briton Ferry Road.
Cynwyl Elfed,
Lladron defed.
Yn Cross Hands y ces fy ngeni,
Yn Cross Hands y ces fy magu,
Yn Cross Hands yr hoffwn dreulio
Yr hyn sy'n ôl o'm dyddiau eto.
Dyma'r ffordd i Feidrim,
A hefyd i Gaerfyrddin,
A dyma'r ffordd, mi ddala' 'wech,
I fynd i Dre-lech yr erfin.
Merched ffein
Sy'n Abergwaun,
Rosy cheeks
A choesau main.

Ffwlbri a Ffantasi

Fe glywais ddwedyd echdoe'r bore
Fod llong o blwm yn nofio'r tonne
A llong o bren yn mynd i'r gwaelod:
Dyna un o'r saith rhyfeddod.

Fe glywais ddwedyd fod y petris
Ar y traeth yn chwarae'n steilis,
Ac yn gwneuthur peli o dywod:
Dyna ddau o'r saith rhyfeddod.

Fe glywais ddwedyd fod y cryman
Yn y cae yn medi ei hunan,
Ac yn torri cefn mewn diwrnod:
Dyna dri o'r saith rhyfeddod.

Fe glywais ddwedyd fod y mochyn
Ar ben y car yn llwytho rhedyn,
Ac yn gwneud ei lwyth yn barod:
Dyna bedwar o'r saith rhyfeddod.

Fe glywais ddwedyd fod tylluan
Yn Llangollen yn dysgu darllan,
Ac yn medru ei gwers yn hynod:
Dyna bump o'r saith rhyfeddod.

Fe glywais ddwedyd fod y gloman
Ar y môr yn cadw tafarn,
Â'i chwpan bach i brofi'r ddiod:
Dyna chwech o'r saith rhyfeddod.

Fe glywais ddwedyd fod y wennol
Ar y môr yn gosod pedol
Â'i morthwyl aur a'i hengan arian:
A dyna'r saith rhyfeddod allan.

1234567
Mae gen i saith o bethau,
Rhai rhyfedd iawn i chi:
Y cyntaf yw cwningen
Yn rhedeg ar ôl y ci.
Yr eilfed yw y mochyn
Yn torri hanc o wair
I besgi set o gywion ieir
I'w gwerthu yn y ffair.
Y llyffant yw y trydydd
Yn gyrru yn bur hy
I nôl y doctor at ei wraig
Ar gefn y falwen ddu.
A dyma yw'r pedwerydd,
Sef mul mewn gwasgod wen
Ar frigyn ucha'r goeden
Yn sefyll ar ei ben.
A dyma yw y pumed,
Hen gaseg Twm Pen-grin
Yn dawnsio step y glocsen
Mewn pais a chlos pen-glin.
A dyma yw y chweched,
Chi chwarddwch am ben hwn,
Sef cloben o neidr felen fawr
Yn trio handlo gwn.
A dyma yw y seithfed,
Yr olaf yn y gân,
Sef iâr fy nain yn blingo'r gath
A'i rhostio o flaen y tân.

Mi welais jac-y-do
Yn eistedd ar y to,
Het wen ar ei ben
A dwy goes bren,
Ho-ho-ho-ho-ho-ho!

Mi welais ddwy gabetsen
Yn uwch na chlochdy Llunden,
A deunaw gŵr yn hollti'r rhain
Â phedair gain' ar hugen.

Mi welais ddwy lygoden
Yn cario pont Llangollen,
Round about o gylch y ddôl
Ac yn eu hôl drachefen.

Mi welais ddwy lygoden
Yn llusgo pedair wagen
O Gaerloyw i Gaerdydd,
A John y crydd yn gapten.

Mi welais ferch yn godro
A menig am ei dwylo,
Hidlo'r llaeth trwy glust ei chap,
A merch Siôn Cnap oedd honno.

Mi welais ddwy lygoden
Yn mynd i 'mofyn halen,
Yn mynd ar drot heibio tŷ Bet
Ar gefen pob o daten.

Mi welais innau falwen goch
Â dwy gloch wrth ei chlustiau
A dau faen melin ar ei chefn
Yn curo'r milgwn gorau.

Gwelais neithiwr trwy fy hun
Lanciau Llangwm bod ag un,
Rhai mewn uwd a rhai mewn llymru
A rhai mewn buddai wedi boddi.

Mi welais Wil o'r felin
Yn bwyta naw 'sgadenyn,
Tatws, erfin, lonaid cart,
A deuddeg chwart o enwyn.

Gwelais neithiwr trwy fy hun
Dair gwlad yn mynd yn un,
'Falau'n tyfu ar frigau'r brwyn
A phob hen wraig yn eneth fach fwyn.

Mi welais beth na welodd pawb,
Y cwd a'r blawd yn cerdded,
Y frân yn toi ar ben y tŷ
A'r malwod yn gwau melfed.

Mi welais bili-pala
Yn llyncu Castell Crosha,
Cath a gwrcath gan Wil George
Yn gweithio *forge* Cyfarthfa.

Mi welais fwy na hynny,
Mi welais hwch yn dodwy
Ac yn taflu ebol bach –
A chelwydd iach oedd hynny.

Ar y ffordd wrth fynd i'r dre
Gwelais wraig yn yfed te;
Gofynnais iddi gawn i lymed –
Trodd y gwpan ar ei hwyneb.

Ar y ffordd wrth fynd i Gorwen
Gwelais wraig ar dop y goeden,
Yn bloeddio, "Hwrw, hwrw, hwrw!" –
Pytaten boeth yng nghorn ei gwddw.

Ar y ffordd wrth fynd i'r Betws
Gwelais wraig yn codi tatws;
Dwedais wrthi am beidio â chwysu,
Fod y bara wedi ei grasu.

Ar y ffordd wrth fynd i'r Betws
Gwelais ddyn yn plannu tatws;
Gofynnais iddo beth oedd o'n wneud –
"Plannu tatws, paid â deud."

Ar y ffordd wrth fynd i Wrecsam
Gwelais ddyn yn bwyta wicsan;
Gofynnais iddo gawn i damed –
"Na chei'n wir, mae yn rhy galed."

Ar y ffordd wrth fynd i Wrecsam
Gwelais wraig yn bwyta wicsan;
Dwedais wrthi am beidio â thagu,
Fod y dŵr yn agos ati.

Ar y ffordd wrth fynd i Lunden
Gwelais Siôn ar ben y goeden;
Gofynnais iddo beth oedd o'n wneud –
"Bwyta 'fala', paid â deud."

Ar y ffordd wrth fynd i Lerpwl
Gwelais John ar ben y cwpwr';
Gofynnais iddo beth oedd o'n wneud –
"Bwyta siwgwr, paid â deud."

Mi welais long yn hwylio,
Yn hwylio ar y lli,
Ac O roedd hon yn llawn ymron
O bethau tlws i mi!

Roedd ynddi 'falau cochion
A stoc o eirin Mair;
Ei hwyliau o'ent o sidan gwyn
A'r llong ei hun o aur.

Y pymtheg morwr noeth eu traed
A weithient ar ei bwrdd,
O'ent bymtheg llyffant melyn mawr,
Y mwyaf allech gwrdd.

Hwyaden oedd y capten
O'r enw Twm Siôn Jac,
A phan symudai'r llong trwy'r dŵr
Fe ganai, "Cwac, cwac, cwac!"

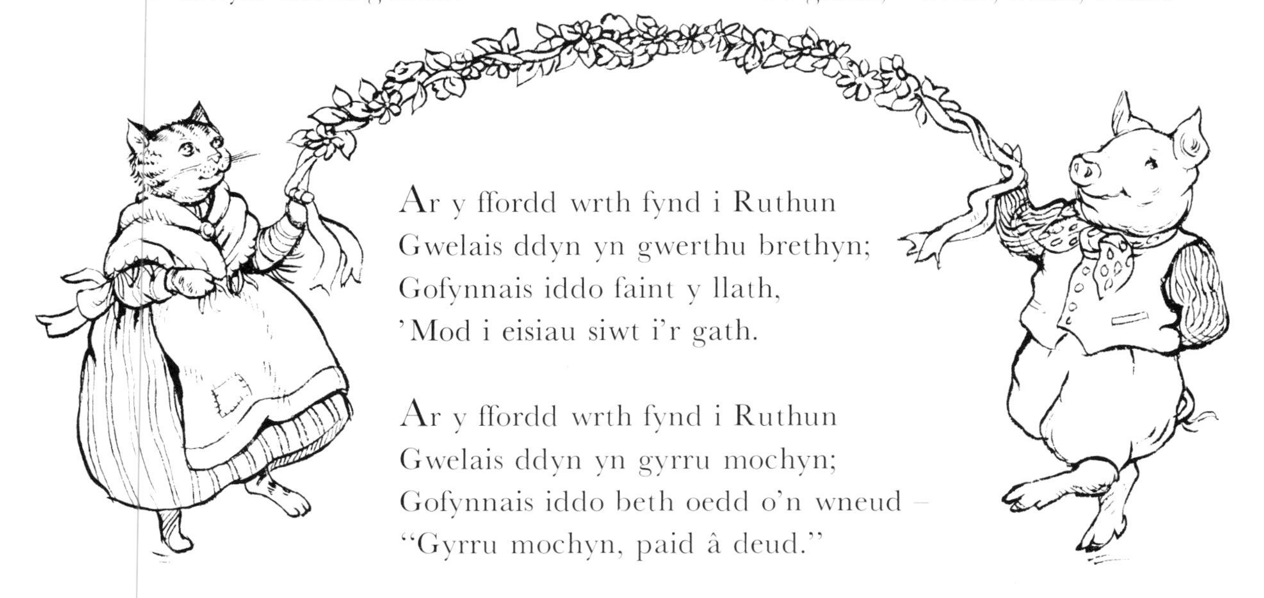

Ar y ffordd wrth fynd i Ruthun
Gwelais ddyn yn gwerthu brethyn;
Gofynnais iddo faint y llath,
'Mod i eisiau siwt i'r gath.

Ar y ffordd wrth fynd i Ruthun
Gwelais ddyn yn gyrru mochyn;
Gofynnais iddo beth oedd o'n wneud –
"Gyrru mochyn, paid â deud."

Mae gen i iâr a cheiliog
A brynais ar ddydd Iau;
Mae'r iâr yn dodwy wy bob dydd
A'r ceiliog yn dodwy dau.
Mae gen i fuwch â dau gorn arian,
Mae gen i fuwch yn godro'i hunan,
Mae gen i fuwch yn llanw'r styciau
Fel mae'r môr yn llanw'r baeau.
Mae gen i darw nawpen
Â phedwar corn ar hugen,
A buwch yn dod â llo bob mis,
Nid oedd ei phris ond chweugen.
Mae gen i hen iâr dwrci
Â mil o gywion dani,
Pob un o'r rheiny'n gymaint ag ych,
Ond celwydd gwych yw hynny.

"Fuost ti erioed yn morio?"
"Wel do, mewn padell ffrio;
Chwythodd y gwynt fi i'r Eil o Man,
A dyna lle bûm i'n crio."

Maent yn dwedyd yn Llanrhaead'
Mai rhyw deiliwr wnaeth y lleuad,
A'r rheswm am fod golau trwyddo
Ei fod heb orffen cael ei bwytho.

Petasai'r Eidda'n fara gwyn
A'r llyn yn hufen melyn,
Petasai'r Wyddfa i gyd yn gaws,
Fe fuasai'n haws cael enllyn.

Cant o deirw corndwb
Aeth i ymladd dwp-dwb,
A minnau'n sefyll rhwng y rhain,
Mi allswn lefain "Iwbwb!"

Dwmpi Dampi aeth i neidio,
Dwmpi Dampi gas ei siglo;
Does un doctor yn y byd
All ddodi Dwmpi Dampi 'nghyd.

Gee-up, gee-up, ar gefn y ci,
Lan heol y pandy a 'nôl i'n tŷ ni.

Rhowch y crochan ar y tân,
A phen y frân i ferwi,
A dau lygad y gath goed
A phedwar troed y wenci.
Hanner pwys o glust y gath
A hanner cynffon milgi –
'Doedd o'n gig da, 'doedd o'n gig da,
'Doedd o'n gig da mewn difri?

Pwy fu farw?
Siôn Pen Tarw.
Pwy gaiff y gwpan?
Siôn Pen Tympan.
Pwy gaiff y llwy?
Pobol y plwy'.
Tebyg yw dy lais di'n canu
I hen fuwch pan fo hi'n brefu,
Neu gi dall pan fyddo'n cyfarth
Wedi colli'r ffordd i'r buarth.
Mae gen i stori fach berta'n y byd –
Chwip a siort a dyna hi'i gyd;
Mae gen i stori sydd dipyn yn hwy –
Tatws a llaeth a ffiol a llwy.
Mae 'mrawd yn hoffi bara chaws,
A minnau caws a bara;
Dwedwch wrtho'i nawr yn glau
P'un o'r ddau sy ora'?
Mae gen i ganu byr bach –
Ffiol a llwy a sucan a lla'th;
Mae gen i ganu byr bach sy'n hwy –
Ffiol a lla'th a sucan a llwy.

Seren ddu a mwnci,
Siôn y gof yn dyrnu,
Modryb Ann yn pigo pys
A minnau'n chwys diferu.

Ladis y dans yn dawnsio,
Chwech o fulod yn rasio,
Dwy ferch ifanc yn tŷ ni
Yn gwisgo *gown* o las a du.

Cadi-mi-dawns yn dawnsio,
Rhes o geffylau'n rhusio,
Wili bach yn cosi'i drwyn
A'r babi bach yn crio.

Lleuad yn olau,
Plant bach yn chwarae,
Lladron yn dŵad
Dan wau 'sanau.

Pandy, pandy, melin yn malu,
Gwëydd yn gwau a'r ffidil yn canu,
Ceffyl bach du â'r gynffon wen
Yn cario Gwen a Mari.

Jim Cro Crystyn, torri pen y stenyn,
Jim Cro Crystyn, torri pen y deryn.

Mwlsyn, crystyn, torri pen deryn,
Bwyta tatws gyda menyn.

Corddi, corddi, gwraig Siôn Harri,
Brechdan wen â blewyn ynddi.

Twm y rwm, yr afon ddu,
Llygad y gath a daint y ci.

Stŵr, stâr, stydi, stinc,
Gwas y gŵr bach â'i lygad blinc.

Mynd ar neges i dŷ'r goges,
'Mofyn crys heb un llawes.

Amen, person pren,
Cath ddu â chynffon wen.

"Wel," meddai Wil wrth y wal;
'Wedodd y wal ddim wrth Wil.

Nodiadau

Tudalen 13. *Pais Dinogad.* Mae'r hwiangerdd enwog a hynafol hon yn perthyn i ddyddiau cynnar ein llenyddiaeth, a goroesodd am iddi gael ei chynnwys yn ddamweiniol mewn llawysgrifau o Lyfr Aneirin. Cân mam i'w phlentyn yw hi, yn disgrifio gorchestion y tad wrth hela, mewn cyfnod pan oedd nifer o greaduriaid sydd bellach wedi diflannu yn dal i fyw ym Mhrydain. Giff a Gaff yw enwau'r ddau gi hela; Dinogad yw enw'r plentyn. Cyhoeddir y gerdd a'r aralleiriad trwy ganiatâd Syr Thomas Parry.

Tudalennau 14–23. *Ar Lin Mam.* Gellir adrodd y rhan fwyaf o'r penillion yn yr adran hon wrth chwarae rhyw gêm gorfforol fwyn â'r plentyn bach; ac mae rhythm y cerddi a'r mynych "gyrru", "trot", "carlam", "cwympo", "tylino", "taflu" neu "llestri'n torri" yn awgrymu'r ystumiau a'r ddrama sy'n cydredeg â'r geiriau.

Tudalen 14. *Enwi'r bysedd.* Mae nifer fawr o'r cerddi bach hyn, a bu'n rhaid dethol pa rai i'w cynnwys. Ceir llawer o eiriau disynnwyr ynddynt. Wrth enwi bysedd y baban, bydd y fam yn cyffwrdd â phob un yn ei dro, gan roi plwc hirach yn aml i'r bys bychan, a enwir olaf.

Tudalen 15. *Cnoc ar y drws.* Mae ystum ar gyfer pob llinell. "Cnoc ar y drws" – taro talcen y plentyn; "Canwch y gloch" – plwc ar ei glust; "Codwch y gliced" – gwasgu ei drwyn; "Sychwch eich traed" – cyffwrdd â'i wefus; "Ac i mewn â chi" – rhoi eich bys yn ei geg.

Tudalen 15. *Pry' bach yn edrych am dwll.* Wrth i'r fam adrodd hwn, bydd yn cerdded dau fys yn araf dros gorff y plentyn, gan orffen trwy ei oglais yn sydyn o dan ei ên.

Tudalen 15. *Hen wraig fach yn rhoi llaeth i'r llo.* Gêm oglais eto. Mae hefyd yn ddull o ddwyn perswâd ar y baban i fwyta – oni bai iddo dagu wrth lyncu a chwerthin ar yr un pryd.

Tudalen 16. *Llifio, llifio* a *Si-so.* Ysbrydolwyd y penillion hyn gan sŵn a symud rhythmig y llif hir. Ceid pyllau llifio ar lawer fferm, ac mewn mannau eraill hefyd, yng Nghymru gynt. Byddai'n rhaid wrth ddau ddyn i weithio'r llif hir, un ymhob pen iddi. Wrth adrodd y penillion byddai'r fam yn cydio yn nwylo'r plentyn ar ei glin a'i dynnu yn ôl ac ymlaen. Byddai plant rywfaint yn hŷn hefyd yn eu hadrodd wrth chwarae si-so yn yr awyr agored.

Tudalen 16. *Llifio, llifio coed Llandeilo.* Ceir fersiwn arall o'r pennill hwn:

Llifio, llifio, torri pren trwyddo,
I wneud coffrau dwy geiniogau;
Coffr i Mari, Siân a Sara,
Coffr i Dafi bach a minnau.

Tudalen 16. *Llifio, llifio/Coed Llandeilo.* Dyma fersiwn arall:

Llifio, llifio
Coed Llangrallo,
Torri pren bedw
Yng ngallt yr hen weddw;
Ei lifio fe'n blancau,
Ei weithio fe'n goffrau,
Un i Siôn a'r llall i minnau.

Tudalen 17. *Pedoli, pedoli.* Wrth adrodd y penillion hyn, gellir taro'r baban ar ei sodlau i rythm y geiriau.

Tudalennau 18–21. Penillion marchogaeth. Gallwch fod yn sboncio'r plentyn ar eich glin i gyfeiliant y penillion hyn, neu yn ei gario ar eich cefn.

Tudalen 18. *Gyrru, gyrru, gyrru i Gaer.* Fersiwn arall:

Gyrru, gyrru, gyrru i Gaer
I briodi merch y maer;
Gyrru, gyrru, gyrru adre
Erbyn berwo'r cawl a'r llysie.

Tudalen 18. *Gyrru, gyrru i ffair y Fenni.* Yn ôl fersiynau eraill, gellir "'mofyn dryll" neu "'mofyn cyllell" i ladd y bwci.

Tudalen 19. *Ar garlam, ar garlam, i ffair Abergele.* Dyma rigwm arall, tebyg:

Ar drot, ar drot, i ffair Cefn-rofft;
Ar duth, ar duth, i ffair Cefn-brith;
Ar giantar, ar giantar, i ffair Abergyntyn,
I werthu y fuches a phrynu dau fochyn.

Tudalen 22. *Si hei li lwli'r babi.* Addaswyd y pennill hwn ac ychwanegu ato, a daeth yn gân adnabyddus. Dyma'r fersiwn a geir yn *Cylchgrawn Cymdeithas Alawon Gwerin Cymru* (Cyfrol 3):

Si hei lwli 'mabi,
  Mae'r llong yn mynd i ffwrdd,
Si fy mabi lwli,
  Mae'r capten ar y bwrdd;
Si hei lwli, lwli lws,
Cysga, cysga, 'mabi tlws,
Si hei lwli 'mabi,
  Mae'r llong yn mynd i ffwrdd.

Si hei lwli 'mabi,
  Y gwynt o'r dwyrain chwyth,
Si fy mabi lwli,
  Mae'r wylan ar ei nyth;
Si hei lwli, lwli lws,
Cysga, cysga, 'mabi tlws,
Si hei lwli 'mabi,
  Y gwynt o'r dwyrain chwyth.

Tudalen 22. *Hosi bei, babi gwan.* "Hosi bei" – sef Cymreigiad o *hushaby*. Mae'r pennill hwn yn gysylltiedig â "Chwedl yr Etifedd", chwedl sydd ar glawr mewn sawl fersiwn. (Gweler John Rhŷs, *Celtic Folklore*, Oxford, 1901.) Cnewyllyn y stori yw bod gŵr ifanc yn priodi un o'r tylwyth teg, ac yn byw'n hapus gyda hi nes iddo ei tharo'n ddamweiniol â haearn wrth geisio dal ceffyl. Ar hyn mae'r ferch yn diflannu, ond mewn rhai fersiynau mae hi'n ailymddangos y tu allan i ffenestr ystafell wely ei gŵr ac yn dweud wrtho am gofio gofalu am y plant. Dyma ddau fersiwn o'i geiriau ar yr achlysur hwn:

Rhag bod annwyd ar fy mab,
Yn rhodd rhowch arno gob ei dad;
Rhag bod annwyd ar liw'r can,
Rhoddwch arni bais ei mam.

Os bydd annwyd ar fy mab,
Rhowch amdano gob ei dad;
Os anwydog a fydd can,
Rhowch amdani bais ei mam.

Tudalen 25. *O Modryb, O Modryb! Hi daflodd ei chwd.* "Dros bont Aberglaslyn i ganol y ffrwd" mewn fersiwn arall.

Tudalen 25. *Mi af oddi yma o gam i gam.* Cofnododd Robin Gwyndaf y fersiwn canlynol yn Uwchaled:

Mi af oddi yma o gam i gam
  I dŷ Modryb Ann y bobreg,
Mi gaf yno gacen gri
  A hefyd fara canthreg;
A bendith Dduw it, Modryb Ann,
  Roi imi ddarn cwpaned.

Tudalen 26. *Dacw Mam yn dŵad.* Ceir nifer o amrywiadau lleol ar yr ail bedair llinell, a hefyd ar y cytgan. Hanes diddorol sydd i'r ymadrodd "Jim Cro". Credir mai caethwas o dras yr Indiaid Cochion oedd y Jim Crow gwreiddiol. Dihangodd o afael ei berchennog ac ennill ei fywoliaeth trwy ganu ar y strydoedd. Cyfansoddai ei ganeuon ei hun, a'r rheiny gan mwyaf yn hunangofiannol. Bu mor llwyddiannus nes fforddio prynu fferm yn Virginia, ac yno y bu farw yn 1809. Tuag ugain mlynedd yn ddiweddarach clywodd y digrifwr Americanaidd, Thomas D. Rice, y geiriau canlynol yn cael eu canu gan weithiwr croenddu:

Twist about, turn about, jump Jim Crow:
Every time I wheel about I do just so.

Mabwysiadodd Rice y cwpled fel cytgan i gân a gyfansoddodd ac a wnaeth yn ganolbwynt ei berfformiadau. Byddai'n dod ar y llwyfan yn gwisgo perwig a wnaethpwyd o fwsogl a'i wyneb wedi'i liwio'n ddu, a champ acrobataidd bron oedd y dawnsio a'r ystumio oedd yn gysylltiedig â'r canu. Bu'r perfformiad a'r gân yn llwyddiant ysgubol yn yr Unol Daleithiau, ac yn 1836 daeth Rice i Lundain, lle'r ymddangosai yn y Surrey Theatre ac wedyn yn yr Adelphi. Aeth y perfformiadau ymlaen am 21 o wythnosau, cyfnod cwbl eithriadol ar y pryd, ac roedd y gân *Jim Crow* ar wefusau pawb, yn wreng ac yn fonedd. Tybir mai yn sgîl poblogrwydd anhygoel y gân hon y daeth yr ymadrodd *Jim Crow* i gael ei arfer yn gyffredinol wrth gyfeirio at negroaid yr Unol Daleithiau. (Gweler I. a P. Opie, *The Oxford Dictionary of Nursery Rhymes*, Oxford, 1951.)

Tudalen 28. *Bachgen da ydi Dafydd.* Dim rhyfedd ei fod yn gofalu am ei esgidiau, oherwydd roedd esgidiau lledr yn costio'n ddrud yn yr oes o'r blaen. Roedd clocsiau pren yn rhatach, ac nid anghyffredin oedd gweld plant troednoeth.

Tudalen 29. *O Mam, O Mam fach annwyl.* Gellir rhoi enw unrhyw blentyn yn lle Gwenno. Mae'n wir am lawer o'r hwiangerddi bod modd newid enwau'r plant yn ôl yr amgylchiadau.

Tudalen 30. *Rybelwr bychan ydwyf.* Pennill o fyd y chwareli yw hwn. Bachgen newydd ddechrau yn y chwarel, ac yn dysgu'r grefft o hollti a naddu, oedd y "rybelwr". Byddai'n ennill bywoliaeth trwy fynd ar negesau i'r chwarelwyr ac yn gwneud cymwynasau iddynt. Llechi wedi eu torri yn ôl mesuriadau arbennig oedd y "prinsys" (o'r Saesneg *princesses*), y *squares* a'r "cowntis" (o'r Saesneg *countesses*). Term technegol yw "cowntis bach", yn golygu llechi tebyg i'r cowntis ond ychydig yn llai o faint. Wyneb o graig ryw chwe llath o led oedd y "fargen", ac fe'i gosodid gan berchenogion y chwarel fel rheol i griw o chwarelwyr ei gweithio mewn partneriaeth. Byddai'r gweithwyr ar bob bargen yn "bargeinio" â'r rheolwyr ar ddechrau pob mis o waith ynglŷn â'r pris a delid am eu cynnyrch yn ystod y cyfnod dilynol. (Gweler Emyr Jones, *Canrif y Chwarelwr*, Gwasg Gee, 1963.)

Tudalen 30. *Chwarelwr oedd fy nhaid.* Gellir enwi unrhyw alwedigaeth, megis saer, ffermwr, glöwr neu deiliwr, yn lle chwarelwr.

Tudalen 32. *Mi af i'r ysgol 'fory.* "Heibio'r eglwys newydd" neu'r "castell newydd" mewn fersiynau eraill.

Tudalen 35. *Roedd ei Modryb Ann Tyn-y-coed.* Darn o gân gan Jac Glanygors (John Jones, 1766–1821) oedd y pennill hwn yn wreiddiol. Teitl y gân oedd "Priodas Siencyn Morgan, Sef Cân Newydd, yn gosod allan ddull priodasau yng Nghymru". Tôn: *Drops of Brandy.*

Tudalen 35. *Ci mowr a chi bach yn* go to *wmla'.* Pennill yn nhafodiaith Preseli/Gogledd Caerfyrddin. "Ymladd" yw "wmla'", "taflodd" yw "towlodd", "llaid" yw "llaca", "ebe" yw "mynte".

Tudalen 37. *Cath ddu i gadw'r gofid ma's o'r tŷ.* Deuai cath ddu â lwc, ond gallai ddod ag anlwc hefyd. Ar dudalen 43 ceir y pennill:

Ceiliog gwyn na chath ddu,
Na chadw'r rhain ynghylch dy dŷ.

Tudalen 38. *Mae'r ceffyl glas yn egwan.* Priodolir y triban hwn i'r emynydd enwog, Dafydd Jones o Gaeo (1711–77), awdur "Wele, cawsom y Meseia". Ganed ef yng Nghwm Gogerddan, Caeo, Dyfed.

Tudalen 40. *Mae gen i ddafad gorniog.* Ceir fersiwn arall ac iddo un pennill yn unig:

Mae gennyf ddafad gyrnig
  Ac arni bwys o wlân,
Yn pori brig yr eithin
  Ymysg y cerrig mân;
Fe ddaeth rhyw landdyn heibio,
  Anosodd arni gi;
Ni welais i 'nafad eto,
  Er hiraeth mawr i mi.

Tudalen 40. *Bwch gafr Gwnys.* Gwnys, Sgubor y Plas, Melin Garnguwch: enwau ar ddwy fferm a melin yn ardal Llithfaen, Gwynedd.

Tudalen 41. *Tair llygoden ddall.* Un o'r ychydig iawn o benillion yn y llyfr hwn sydd yn amlwg wedi'u haddasu o'r Saesneg.

Tudalen 41. *Marc a Meurig, ble buoch chi'n pori?* "Ar y waun las, gerllaw Lletybrongu" (ardal Cwm-du, Morgannwg Ganol), yn ôl fersiwn arall. Wrth adrodd y pennill, byddai'r fam yn taro sodlau'r plentyn y naill ar ôl y llall. Yn ôl Owen Gethin Jones (1816–83), yn ei lyfr *Gweithiau Gethin* (1884), enwau ychen gwedd olaf y Bennar ym Mhenmachno oedd Marc, Meiri, Luc a Derby. Dywed F.G. Payne (*Yr Aradr Gymreig*, Gwasg Prifysgol Cymru, 1954) fod yr arfer o roi enwau apostolion ar ychen yn mynd yn ôl i'r Canol Oesoedd, ac yn tarddu o'r ffaith bod yr ych yn arwydd Sant Luc. Clywyd y fersiwn canlynol o'r pennill yn cael ei ganu tua chanol y 19eg ganrif gan ferch fach wrth aredig ag ychen Gelliwarog (plwyf Llan-giwg, Gorllewin Morgannwg):

"Breweri, Braceri, lle buoch chi'n pori?"
"Ar y waun fawr, ar bwys Aberhonddu."
"Be' sy yno'n fwy nag yma?"
"Porfa las a dŵr ffynhonna'."

Tudalen 42. *Fe ddetwas wi heddi'.* Tafodiaith Gwent/Dwyrain Morgannwg. "Detwas": dodwais. Mae'r terfyniad "-ws" yn cymryd lle'r "-odd" a glywir mewn ardaloedd eraill.

Tudalen 42. *Mae gen i iâr yn eistedd.* Gellir canu'r pennill hwn i suo plentyn i gysgu, yn enwedig o gynnwys y cwpled ychwanegol canlynol ar y diwedd:

O cwsg, fy mhlentyn,
Ffal-di-lal-di-lei-do.

Fersiwn o Went yw'r uchod. Dyma fersiwn o Forgannwg:

Mae gen i hen iâr dwrci
  Ar ben esgynbren mawr;
Mae'n rhaid cael benthyg ysgol
  I dynnu'i nyth i lawr;
Deunaw wi oedd dani,
  A deunaw mesglyn wi;
Os torrodd rhai eu gyddfau,
  Pwy fater yw i chi?

Tudalen 42. *Roedd gen i iâr yn gori/Ar ben y Frenni Fawr.* "Ar ben yr Elidir Fawr" mewn fersiwn arall.

Tudalen 43. *Ceiliog bach yr Wyddfa.* Yn ôl Carneddog (Richard Griffith, 1861–1947), hen brydydd o'r enw Owen Gruffydd a drigai ym Mwlchgwernog tua 1770 a gyfansoddodd y pennill hwn. Roedd yn hel grug ar Fynydd Nanmor ger Beddgelert, pan ddaeth un o'i gydnabod ato a gofyn iddo gyfansoddi cerdd i'r hyn yr oedd yn ei weld a'i glywed ar y pryd.

Tudalen 44. *Hen deiliwr â'i slibwrt yn cerdded yn glic.* Pennill arall yn nhafodiaith Gwent/Dwyrain Morgannwg, a'r terfyniad "-ws" yn cymryd lle'r "-odd" arferol. *Sleeve-board*, sef bordyn â siâp arbennig ar gyfer smwddio llewys arno, yw'r "slibwrt". "Cerdded yn glic": cerdded yn gyflym neu'n heini.

Tudalen 44. *Mol, mol, agor dy gorn.* Ffurf ar y gair "malwoden" yw "mol". Pwrpas y pennill yw ceisio perswadio'r creadur i estyn ei gyrn. Dyma bennill arall i'r un perwyl:

Falwen gorn, falwen gorn,
Estyn di dy bedwar corn,
Neu mi dafla'i di i'r môr heli,
Yn yr eigion bach i foddi.

Tudalen 44. *Whili bwmp, poera waed.* Byddai'r pennill hwn, a'r pennill dilynol, yn cael ei adrodd gan blant yn yr haf. Byddent yn codi'r creadur (whili bwmp: chwilen y bwm), yn poeri arno, ac yn dweud y geiriau wrth aros i weld gwaed yn dod ohono.

Tudalen 45. *I ble ti'n mynd heddi', deryn bach syw?* Mae mwy nag un fersiwn o'r pennill hwn. Dyma'r un a gyhoeddwyd yn *Cylchgrawn Cymdeithas Alawon Gwerin Cymru* (Cyfrol 2):

"Ble rwyt ti'n mynd, y deryn bach syw?"
"Rwy'n mynd i'r farchnad, os bydda' i byw."
"Beth 'nei di yn y farchnad, y deryn bach syw?"
"I 'mo'yn halen, os bydda' i byw."
"Beth 'nei di â halen, y deryn bach syw?"
"Ei roi yn y cawl, os bydda' i byw."
"Beth 'nei di â'r cawl, y deryn bach syw?"
"Ei roi yn y bola, os bydda' i byw."
"Beth 'nei di â'r bola, y deryn bach syw?"
"Oni bai am y bola, baswn i ddim byw."

Tudalen 45. *Ble ti'n mynd, ble ti'n mynd.* Yn lle'r llinell "Gael dweud wrth Dafydd Huw?" ceir hefyd "O dwed y gwir yn driw?"

Tudalen 46. *Cân Hela'r Dryw Bach.* Hen arfer mewn llawer rhan o Gymru, ac mewn gwledydd eraill hefyd, oedd Hela'r Dryw Bach. Cynhelid yr helfa mewn paratoad ar gyfer gorymdaith ar ddydd Ystwyll. Ar ôl ei ddal, rhoddid y dryw (yn fyw neu yn farw – nid yr un oedd yr arfer ym mhob man) mewn "tŷ dryw", sef blwch o wneuthuriad arbennig. Yn ôl un disgrifiad roedd i'r blwch ddwy ffenestr, drws ac addurn o rubanau. Yn ôl disgrifiad arall, gallai fod yn dŷ papur â darn o wydr ym mhob pen. Cysylltid pedwar polyn wrth y corneli, a dau neu bedwar o ddynion fyddai'n ei gario yn yr orymdaith. Mae Edward Lhuyd (1660–1709) yn ei *Parochialia* yn sôn am yr arfer yn Sir Benfro o "ddwyn dryw mewn elor ar nos Ystwyll, oddi wrth ŵr ifanc at ei gariad, sef dau neu dri a'i dygant mewn elor â rubanau ag a ganant garolion. Ânt hefyd i dai eraill lle ni bo cariadon a bydd cwrw . . ." Mae'n debyg mai yn yr hen Sir Benfro y parhaodd yr arfer hwyaf, ac mae tŷ dryw o Farloes i'w weld yn Amgueddfa Werin Cymru. Gellid canu'r gân naill ai wrth hela'r dryw neu yn ystod yr orymdaith. Dyma fersiwn o Amlwch, Ynys Môn:

1. "Ddoi di i'r coed?" meddai Risiart wrth Robin;
"Ddoi di i'r coed?" meddai Dibyn wrth Dobyn;
"Ddoi di i'r coed?" meddai Abram ei hun;
"Ddoi di i'r coed?" meddan nhw bod ag un.
2. "Beth wnawn ni yno?" . . .
3. "Hela'r dryw bach," . . .
4. "Sut cawn ni o adref?" . . .
5. "Ceffyl a throl," . . .
6. "Sut gwnawn ei fwyta?" . . .
7. "Cyllell a fforc," . . .

Mewn fersiwn o Lŷn ceir cymeriadau gwahanol a'r diweddglo:

Hegal i Dibyn a hegal i Dobyn,
Aden i Risiart ac aden i Robin,
Hanner y pen i Siôn pen y stryd,
A'r hanner arall i'r cwbwl i gyd.

(Gweler yn arbennig Trefor M. Owen, *Welsh Folk Customs*, Amgueddfa Genedlaethol Cymru, 1968.)

Tudalen 48. *Robin goch ar ben y rhiniog*. Dyma fersiwn arall:

Robin goch ddaeth at y rhiniog
A'i ddwy aden yn anwydog,
A dywedai mor ysmala,
"Mae hi'n oer, fe ddaw yn eira."

Tudalen 50. *Mae gen i dŷ fy hunan*. Ceir pennill tebyg yn "Alun Mabon" gan Ceiriog:

Mae gennyf barlwr bychan
Ac aelwyd fechan lân,
A'm tegell i fy hunan
Sy'n canu wrth y tân.

Tudalen 53. *Mae gen i gant o ddefaid*. Pennill o "Alun Mabon" gan Ceiriog.

Tudalen 59. *Mae'n dda gen i fuwch, mae'n dda gen i oen*. "Het befar" am mai o ffwr yr afanc y gwneid y math hwn o het yn wreiddiol. Ond defnyddid y term yn fwy cyffredinol wedyn i ddynodi steil arbennig o het, er mai o ddefnyddiau eraill y gwneid yr hetiau.

Tudalen 60. *Mae gen i gariad yn y Fro*. Pennill o Forgannwg yw hwn, yn cyfeirio at raniad traddodiadol y sir rhwng y Fro, sef y tir isel i gyfeiriad y môr, a'r Blaenau, sef y cymoedd a'r ucheldir gogleddol.

Tudalen 62. *Mi feddyliais ond priodi*. Ceir fersiwn gwahanol, o'r ail bennill ar ei ben ei hun:

Siglo'r crud â throed i bobi,
Siglo'r crud â throed i gorddi,
Siglo'r crud â throed i bopeth,
Siglo'r crud sy raid i fameth.

Tudalen 64. *Bachgen bach o Ddowlais*. Peidiwch â chwerthin am ben y truan; efallai nad yw'r disgrifiad ohono mor gelwyddog ag y gellid disgwyl. Sefydlwyd gwaith haearn Dowlais yn 1759, yn un o lu o weithfeydd tebyg a oedd yn britho blaenau Gwent a Morgannwg, a daeth yn fuan o dan reolaeth teulu'r Guests. Erbyn tua 1840, Merthyr Tudful (yn cynnwys Dowlais) oedd y dref fwyaf yng Nghymru, a gwaith Dowlais oedd y cyflogwr mwyaf yn y byd, a chanddo 10,000 o weithwyr. Roedd llawer o blant bach, yn fechgyn ac yn ferched, yn gweithio yn y gweithfeydd haearn, yn codi drysau'r ffwrneisi, yn sythu'r bariau poeth fel y deuent o'r rholeri, yn cludo dŵr, yn tynnu'r slag a'r glo poeth o'r ffwrneisi ac yn cario llwythi i'r tomennydd. Dyma a ddywedodd un ohonynt, Morgan Lewis, crwt naw oed o Ferthyr: "Rydw i wedi bod yn gweithio yma ers dwy flynedd. Roeddwn i'n arfer gweithio ar y felin rolio, yn sythu'r bariau haearn. Bydda' i'n gweithio ddeuddeg awr y dydd un wythnos a deuddeg awr y nos yr wythnos ganlynol. Mae'n waith caled iawn a bydda' i'n blino'n ddrwg, ond mae fy nghinio'n rhoi nerth imi gan fod fy nhad yn rhannu'r cig â mi. Weithiau rwy'n cael fy llosgi yn ymyl y ffwrnais . . ." Pa ryfedd, ar ôl magwraeth fel hyn, os oedd gan y bachgen bach o Ddowlais "ben fel pytaten" a "breichiau fel y brwyn"? (Gweler R. Meurig Evans, *Plant yn y Diwydiant Haearn 1840–42*, Amgueddfa Genedlaethol Cymru, 1973.)

Tudalen 66. *Wil ffril ffralog*. Dywed W.J. Davies yn *Hanes Plwyf Llandyssul* mai cymeriad hynod o'r enw Wil Dolfor oedd y Wil ffril ffralog a anfarwolir gan y pennill hwn. Roedd Wil yn byw yn Nolfor, Llandysul, tua 1800.

Tudalen 67. *Aeth fy Ngwen i ffair Pwllheli./Fe aeth Gwen ryw fore i odro./Pegi Ban a aeth i olchi./Beti Bwt a aeth i gorddi.* Hawdd gweld bod y cerddi hyn yn perthyn i'w gilydd o ran natur. Ceir cân yn llyfr Mrs Herbert Lewis *Folk Songs collected in Flintshire & the Vale of Clwyd* (Hughes & Son, 1914) sy'n cyfuno'r elfennau hyn ac ambell un arall hefyd. Dywed Mrs Lewis fod y geiriau, mewn gwahanol ffurfiau ac yn cael eu canu ar amryw donau, i'w clywed mewn llawer rhan o Gymru. Dyma'r gân:

Gwenni aeth i ffair Pwllheli,
Eisie padell bridd oedd arni,
Rhodd amdani chwech o sylltau –
Costie gartre ddwy a dimai.

Cytgan:
Simpl, sampl, ffinistr ffanstr,
Doedd rhyw helynt fawr ar Gwen.

Gwenni aeth yn fore i odro,
Gwerth y chweswllt rhwng ei dwylo;
Rhodd y fuwch un slap â'i chynffon
Nes oedd y chweswllt bron yn deilchion.

Gwenni aeth yn fore i gorddi,
Eisie menyn ffres oedd arni;
Tra bu Gwen yn golchi'r potiau,
Y gath a foddodd yn y fuddai.

Gwenni aeth yn fore i bobi,
Eisie bara ffres oedd arni;
Tra bu Gwen yn nôl y twmbren,
Yr hwch a aeth â'r toes i'r domen.

Gwenni aeth yn fore i olchi,
Eisie dillad glân oedd arni;
Tra bu Gwen yn nôl y sebon,
Y dillad aeth i lawr yr afon.

Yn *Welsh Nursery Rhymes*, mae gan T.C. Evans a Harry Evans y ddau bennill "Pegi Ban a aeth i olchi" a "Beti Bwt a aeth i gorddi", a'r cytgan canlynol wedi ei ychwanegu:

Lili lon, hardd yw hon;
Lili lon, hardd yw hon;
O! Ni welais yn fy mywyd
Un mor hardded ag yw hon.

Tudalen 67. *Fe gwympodd Mari Rhydwb.* Yn ôl Glanffrwd (William Thomas, 1843–90), yn ei lyfr *Llanwynno* (golygwyd gan Henry Lewis, Gwasg Prifysgol Cymru, 1949), ysgrifennwyd y pennill hwn gan Job Morgan, Llanwynno, ar gyfer cystadleuaeth hynod Triban yr "Iwb-wb" – cystadleuaeth y "bu mawr sôn amdani am hir amser". Cynhaliwyd y gystadleuaeth ym Mlaenllechau, Morgannwg Ganol, ryw dro yn ystod y 19eg ganrif, a'r pennill buddugol oedd "Cant o deirw corndwb" a welir ar dudalen 109. Ni wyddai Glanffrwd pwy oedd awdur hwnnw "os nad Llewelyn Bili Siôn o blwyf Ystradyfodwg ydoedd".

Tudalen 68. *Y Cobler Coch o Ruddlan.* Roedd y Cobler Coch yn ei flodau yn ail hanner yr unfed ganrif ar bymtheg. Ceir nifer o fersiynau o'r pennill hwn o wahanol ardaloedd, a'r prif gymeriad a'r ardal yn arbennig yn amrywio'n gyson. Er enghraifft:

Y cobler bach o'r Hengoed . . .

Siencyn Siôn o'r Hengoed . . .

Colin Coch o Gaeo . . .

Llywelyn Fawr o Fawddwy . . .

(Roedd Llywelyn Thomas, o Dy'n Llwyn, Llanymawddwy, a fu farw yn 1807, yn ddyn enwog am ei gryfder.)

Tudalen 69. *Teiliwr du bach.* Byddai'r teiliwr teithiol yn aros yn nhai ei gwsmeriaid, ac yn derbyn prydau o fwyd yn ogystal ag arian fel tâl am ei waith.

Tudalen 69. *Dacw dŷ a dacw do.* Mae'n debyg mai "chwarae ar y bysedd" a geir yn y ddau bennill hyn, ac y byddai'r adroddwr, wrth iddo ddweud y geiriau, yn gwneud ystumiau cymwys â'i fysedd i ddarlunio'r hyn a ddisgrifir ymhob llinell. Cyffelyb fyddai'r drefn â'r penillion *Cwch bach yn nofio* a *Cwch bach ar y môr* ar yr un tudalen.

Tudalen 70. *Sioni moni, coesau meinion.* Dyma bennill tebyg:

Sioni moni, coesau meinion,
Gwisgo 'sanau heb ardyson,
Cwt ei grys e yn y golwg –
Dyna ffasiwn gwŷr Morgannwg.

Tudalen 70. *Dafi Siencyn Morgan.* Roedd Dafydd Siencyn Morgan (1752–1844) yn enedigol o Langrannog, Ceredigion, ac yn gerddor adnabyddus. Bu'n arweinydd y gân yn Eglwys y Plwyf, Llangrannog, ac wedi hynny gyda'r Annibynwyr yn y Capel Isaf, Llechryd. Teithiodd trwy Gymru yn rhoi gwersi cerddoriaeth a chyfansoddodd nifer o donau ac anthemau.

Tudalen 71. *Siôn a Siân o boptu'r tân.* Dyma fersiwn arall:

Siôn a Gwen sarrug y nos wrth y tân,
Wrth sôn am eu cyfoeth i 'mremian yr a'n';
Siôn fynnai ebol i bori ar y bryn,
A Gwen fynnai hwyaid i nofio ar y llyn.

Tudalen 72. *Hen fenyw fach Cydweli.* Yn aml ychwanegir cytgan at y pennill, ac mae mwy nag un fersiwn ohono. Yn *Welsh Nursery Rhymes* gan T.C. Evans a Harry Evans, ceir:

O dyma'r newydd gorau
Ddaeth i mi, i mi,
O dyma'r newydd gorau
Ddaeth i mi, i mi,
Oedd rhifo deg am ddimai
Ond un ar ddeg i mi,
Tra la la etc.

Yn ôl Huw Williams yn ei lyfr *Canu'r Bobol* (Gwasg Gee, 1978), mae'r alaw yr arferir canu'r geiriau arni yn tarddu o'r Tyrol. Fe'i cambriodolwyd yn *Welsh Nursery Rhymes* i Ignaz Moscheles (1794–1870).

Tudalen 74. *Robin dir-rip.* Pennill y ceir digonedd o amrywiadau arno; er enghraifft:

Robin y rib
Â'i geffyl a'i chwip,
Ei het yn ei law
A'i llond hi o faw.

Robin di-rib
A'i chwip yn ei law,
Yn gyrru y gwyddau
Drwy ganol y baw.

Robin di-rip,
A'i chwip yn ei law,
Daflodd fy het
I ganol y baw.

Tudalen 74. *Nedi ddrwg o dwll y mwg.* Ceir amrywiadau lawer ar y pennill hwn, ac enwau eraill yn cymryd lle "Nedi". Y ffurf sylfaenol, megis, yw:

Bachgen drwg o dwll y mwg,
Gwerthu'i fam am ddimai ddrwg.

Tudalen 75. *Bonheddwr mawr o'r Bala.* Cyfansoddwyd y geiriau gan Ceiriog. Yn ei lyfr *Oriau'r Hwyr* ceir nodyn bod y miwsig wedi ei addasu gan Owain Alaw (John Owen, 1821–83). Dywed Huw Williams yn *Canu'r Bobol* mai alaw werin o'r Almaen yw hi.

Tudalennau 76–9. Wrth lunio'r nodiadau am arferion tymhorol, defnyddiwyd yn arbennig lyfr Trefor M. Owen, *Welsh Folk Customs* (Amgueddfa Genedlaethol Cymru, 1968.)

Tudalen 76. *Codwch yn fore, cynnwch y tân.* Yng Nghymru gynt roedd dydd Calan dipyn yn fwy poblogaidd gan blant na'r Nadolig, oherwydd mai'r Calan, y pryd hynny, oedd y tymor rhoi anrhegion ac am ei fod yn cynnig cyfleoedd da i gasglu arian a rhoddion. Adeg edrych ymlaen at y flwyddyn newydd a chyfarch eich cymdogion oedd y Calan, fel y mae o hyd. Gallai'ch lwc am y flwyddyn i ddod ddibynnu ar nodweddion yr ymwelydd cyntaf â'ch tŷ neu'r person cyntaf y byddech yn ei weld: gallai fod yn lwcus, er enghraifft, petai gan yr ymwelydd wallt tywyll, neu petai'n dwyn yr enw Dafydd, Ifan, Siôn neu Siencyn petai'n ŵr, neu Siân, Sioned, Mair neu Marged petai'n fenyw; gallai fod yn anlwcus cyfarfod â dyn â gwallt coch gyntaf. Ceid dwy ddefod yn arbennig a roddai gyfle i blant gasglu rhoddion neu arian. Un oedd hel calennig (gweler isod); y llall oedd sgeintio "dŵr y flwyddyn newydd". Mae'n bosibl bod cyfeiriad at yr ail o'r rhain yn y pennill hwn. Yn gynnar ar fore'r Calan byddai minteioedd o fechgyn yn mynd o gwmpas y tai yn cario brigyn o goed bytholwyrdd, megis celyn, a llestr o ddŵr oer, newydd ei godi o'r ffynnon. Byddent yn sgeintio'r dŵr ar ddwylo ac wynebau preswylwyr y tai a'r rhai y cyfarfyddent â hwy, ac yn derbyn ceiniogau am y gymwynas.

Tudalen 76. *Calennig i mi, calennig i'r ffon.* Cyfle arall i'r plant gasglu rhoddion ar ddydd Calan oedd trwy hel calennig. Byddai plant yn mynd o dŷ i dŷ yn cyfarch gwell i'r trigolion ac yn gofyn am roddion bach o fwyd neu arian, gan adrodd y penillion a welir ar dudalennau 76 a 77, neu rai tebyg. Byddent yn cario afal neu oren wedi ei addurno â brigyn bytholwyrdd ac ŷd neu geirch a blawd. Yn aml byddai pedair gwaell bren wedi eu gwthio i mewn i'r ffrwyth, tair fel traed i'w gynnal a'r llall i gydio ynddi.

Tudalen 77. *Blwyddyn newydd dda i chi,/Holl deulu llon.* Yn lle "A minnau'n fachgen serchus", gellir dweud "A minnau'n ferch fach serchus".

Tudalen 77. *Blwyddyn newydd ddrwg.* Ateb y plant pe gwrthodid anrheg iddynt!

Tudalen 78. *Fe ddaw Gŵyl Fair, fe ddaw Gŵyl Ddewi.* Dyma bennill tebyg:

> Fe ddaw Gŵyl Fair, fe ddaw Gŵyl Ddewi,
> Fe ddaw'r hwyaden fach i ddodwy,
> Fe ddaw'r haul fach i sychu'r llwybre,
> Fe ddaw 'nghariadau innau'n drwpe.

Tudalen 78. *Dydd Mawrth Ynyd.* Daw "Ynyd" o'r Lladin *initium*: "dechreuad" – sef dechrau'r Grawys, sy'n cychwyn ar ddydd Mercher y Lludw ac yn parhau am ddeugain niwrnod i goffáu ympryd a themtiad Crist yn y diffeithwch. Dydd Mawrth Ynyd, felly, oedd y cyfle olaf i wledda ar y bwydydd hynny a waherddid yn ystod y cyfnod o ymwadiad.

Tudalen 78. *Modryb Elin ennog.* Un o arferion dydd Mawrth Ynyd oedd bod plant a thlodion yn cardota am grempogau, neu am y defnyddiau i'w gwneud. Un o'r penillion a adroddid y pryd hynny yw hwn. Dyma fersiwn arall:

> Os gwelwch chi'n dda, ga'i grempog?
> Mae Mam yn rhy dlawd i brynu blawd,
> A Nhad yn rhy ddiog i weithio –
> Halen i'r ci bach, bwyd i'r gath fach,
> Mae 'ngheg i'n grimpin eisiau crempog.

Tudalen 78. *Clap, clap, gofyn wy.* Ers dyddiau paganiaeth bu'r wy yn arwydd o ffrwythlondeb ac o aileni Natur ar ôl hirlwm y gaeaf, ac fe'i mabwysiadwyd gan yr Eglwys fel symbol o atgyfodiad Crist. O ganlyniad ceir arferion mewn llawer gwlad sy'n cysylltu wyau â'r Pasg. Yng Nghymru gynt, ac yn arbennig yng Ngwynedd, roedd plant yn arfer mynd o gwmpas yn "clepian wyau", sef cadw stŵr â chlaper pren ac adrodd geiriau'r pennill, neu rai tebyg, wrth gardota am wyau. Roedd bwyta wyau yn waharddedig yn ystod y Grawys, ond deuai hwnnw, a'r gwaharddiad, i ben erbyn y Pasg.

Tudalen 78. *Daw Clame, daw Clame.* Rhennid blwyddyn yr hen Geltiaid yn ddau dymor, haf a gaeaf. Calan Mai (a elwid hefyd yn "Galan Haf") a Chalan Gaeaf (1 Tachwedd) oedd y ddau ddiwrnod a nodai ddechreuad y ddau dymor. Cynhelid ffeiriau cyflogi ar yr adegau hyn (ceir sôn am "ffair y Clame" ar dudalennau 56 a 57), a rhoddai hynny gyfle i weision a morynion a oedd yn anfodlon ar eu byd i newid cyflogwyr. Dyna un rheswm pam y byddai Meistr a Meistres yn "siarad yn fwyn".

Tudalen 78. *Llidiart newydd ar gae ceirch.* Un o arferion hyfryd Calan Mai oedd canu "carolau Mai" neu "garolau haf", pryd y byddai minteioedd o gantorion yn ymweld â thai ac yn derbyn bwyd a diod yn dâl am eu canu. Darn o un o'r carolau hyn yw'r pennill.

Tudalen 79. *Mae heno'n nos Glangaea'.* Calan Gaeaf oedd dydd cyntaf blwyddyn yr hen Geltiaid, ac ers cyn hanes bu'n adeg cofio am y meirwon. Roedd yn naturiol i'r Eglwys yn y Canol Oesoedd impio ar y cyfnod hwn ddwy ŵyl o naws gyffelyb, sef Gŵyl yr Holl Saint (1 Tachwedd), pryd y coffeir Mair a'r merthyron, a Gŵyl yr Eneidiau (2 Tachwedd), sy'n coffáu'r rhai a fu farw yn y ffydd. Nid oes rhyfedd felly mai Nos Galangaeaf yw noson yr ysbrydion. Credid bod drychiolaethau megis yr Hwch Ddu Gwta a'r Ladi Wen yn crwydro'r wlad, a bod ysbryd person marw i'w weld ar bob camfa. Prin y byddai plant yr oes a fu yn mentro allan o'u tai ar y noson hon oni bai bod cwmni ganddynt. "Jac-y-lantern" yw'r golau ffosfforaidd a welir yn symud yn yr awyr uwchben cors, ac sydd bob amser yn cilio rhag y sawl sy'n ceisio ei ddilyn. Roedd yn cael ei ystyried yn rhagarwydd o farwolaeth.

Tudalen 79. *Nos Glangaea', twco 'fala'.* Ym Morgannwg ar nos Galangaeaf byddai'r bechgyn yn gwisgo dillad merched a'r merched yn gwisgo dillad bechgyn, ac yna'n mynd o dŷ i dŷ yn canu'r pennill hwn. "Twco afalau" yw un o'r gemau y mae plant trwy Gymru yn eu mwynhau o hyd ar nos Galangaeaf. Llenwir twba neu fwced â dŵr a rhoi nifer o afalau – heb fod yn rhy fach – i nofio ynddo. Y gamp wedyn yw i'r plant geisio tynnu'r afalau o'r dŵr gan gydio ynddynt â'u dannedd yn unig, heb ddefnyddio eu dwylo.

Tudalen 79. *Bwci Bal yn y wal.* Yn ôl Carw Coch (William Williams, 1808–72) roedd pedwar ysbryd neu fwgan yn gysylltiedig â Chwm Nedd, sef Syr Bwci Bal, Siôn y Croen, Llwnc y Trothwy a Gwilwch Gwalwch.

Tudalen 79. *Adre, adre, am y cynta'*. Dyma ddisgrifiad gan John Morgan, Cadnant, yn *Y Geninen* yn 1894 o'r hyn a welodd yn ei febyd ar nos Galangaeaf: "Gwelais actio stori yr 'Hwch ddu gwta'. Ar nos Calangaeaf, yn y flwyddyn 1818, noswaith ddu oer, a mi onid plentyn seithmlwydd o oed, diengais gyda bechgyn yr ardal i fryn cyfagos i weled coelcerth fawr a losgid arno. Yr oedd yno danwydd yn droleidiau, a chyneuwyr ddigon, fel y cafwyd digon o dân i oleuo y nen ac ariannu y lli' yng Nghulfor Menai. Cyn llwyr ddarfod â'r cynnau, a hi yn hwyrhau, ac yn bryd i'r plant, os nad pawb, i fod yn eu gwelyau, dyma rywun neu rywbeth du yr olwg arno yn hychian ac yn symud; a dyma waedd fod yr hwch ddu gwta wedi dyfod. A dyma ni yn rhedeg adref yn gynt na chan gynted ag y gallem, ac yn llawn braw." Arferai'r plant weiddi'r rhigwm wrth redeg adref. Mewn rhai ardaloedd dywedid y byddai'r hwch ar ben pob camfa, ac y byddai'n rhoi ei nodwydd ddur ym mhen ôl yr olaf! Hen, hen arfer a berthynai i nos Galangaeaf oedd cynnau coelcerthi, a cheid cystadleuaeth frwd i wneud yr un fwyaf a'r hwyaf ei pharhad. Byddai tatws ac afalau yn cael eu rhostio ynddynt, a'r gwylwyr yn dawnsio ac yn gweiddi oddi amgylch. Erbyn heddiw mae'r arferiad hwn wedi cael ei drosglwyddo i noson Guto Ffowc.

Tudalen 80. *Mae gen i ac mae gan lawer*. Pennill cyntaf "Yr Hin-Fynegydd" gan Ceiriog yw hwn.

Tudalen 80. *Buwch goch gota*. Gosodir y creadur ar gefn y llaw cyn adrodd y pennill hwn.

Tudalen 82. *Mae'n bwrw glaw allan,/Mae'n deg yn y tŷ*. Yng Nghwm Rhondda mae Dol'ronnen. Dyma bennill tebyg:

Mae'n bwrw glaw allan,
Mae'n hindda'n y tŷ,
Mae merched Tregaron
Yn chwalu'r gwlân du.

Tudalen 82. *Mae'n bwrw glaw allan,/Mae'n braf yn y tŷ*. Pan fydd cath yn golchi ei hwyneb, y goel yw bod hyn yn arwydd o law, neu o dywydd teg, neu fod cwmni'n dod.

Tudalen 82. *Mae'n bwrw glaw allan,/Mae'n hindda'n y tŷ*. Hen gymeriad doniol a hynod ym mhlwyf Llanwenog (Ceredigion) tua chanol y 19eg ganrif oedd Jac Abertegan.

Tudalen 82. *Mae'n bwrw glaw, mae'n chwythu gwynt*. Roedd Siôn Cwilt yn byw tua dau gant o flynyddoedd yn ôl ar y rhostir uchel hwnnw, ger Post-bach yng Ngheredigion, a elwir hyd heddiw yn "Fanc Siôn Cwilt". Smyglwr oedd e wrth ei waith, yn trin y nwyddau, megis gwin a gwirodydd, a fewnforid yn anghyfreithlon ar hyd glannau Ceredigion yn y cyfnod hwnnw. Cododd dŷ unnos iddo'i hun ar y rhostir; a dyna'r rheswm, mwy na thebyg, fod ei gartref yn "siglo" ar dywydd mawr.

Tudalen 83. *Gwynt a glaw*. Dyma rigwm arall, cyffelyb:

Glaw, glaw,
Cer ffordd draw;
Haul a hindda,
Der ffordd yma.

Tudalen 84. A *sydd am afal*. Codwyd y rhigwm hwn o *The Teaching of Welsh* gan Ellen Evans (Educational Publishing Company Ltd, 1924), a dyma'r unig gerdd yn y llyfr hwn yr aethpwyd ati yn fwriadol i newid ei chynnwys. Gwnaed hyn er mwyn cysoni deunydd y gerdd â'r orgraff gyfoes, a'r ddwy linell a newidiwyd yw "*Ph* am dri phiser" ("*Ph* am y phiol" yn y gwreiddiol) ac "a *Rh* am y rhiw" ("a'i ganig mor wiw" yn y gwreiddiol).

Tudalen 87. Man is *dyn*, glove is *maneg*. Pwrpas y rhigymau ar dudalen 87 oedd helpu plant i ddysgu Saesneg. Pennill adnabyddus a ddeilliodd o'r math yma o ganu yw:

Bitch ydyw gast a *dog* ydyw ci,
Ond paid ti â meddwl mai *bitch* ydwyf i.

ATEBION I'R POSAU

Tudalen 88. *Gŵydd o flaen gŵydd*. Ateb: tair gŵydd.

Tudalen 88. *Sawl pysgodyn ga'i am swllt?* Deuddeg pysgodyn.

Tudalen 88. *Deuddeg hen fenyw a deuddeg hen ddyn*. Mae 24 person, 288 o gydau, 3456 o hen gathod a 41,472 o gathod bach. Dyma bennill arall:

Hen ddyn, hen ddyn, â dwy got fawr,
A naw coden ym mhob cot fawr,
A naw cath wen ym mhob coden,
A naw cath fach gan bob cath wen.

Yr ateb i hwn yw: 18 coden, 162 o gathod gwyn a 1458 o gathod bach.

Tudalen 88. *Beth yw ffynnon wen lefrith?* Buwch yn yr ŷd.

Tudalen 88. *Beth sy'n mynd i Lunden?* Eira.

Tudalen 89. *Dôl las, lydan*. Yr wybren yw'r ddôl. Sêr yw'r gwyddau bach. Yr haul yw'r clacwydd. Y lleuad yw'r ŵydd.

Tudalen 89. *Gweirglodd las, lydan*. Yr wybren yw'r weirglodd. Sêr yw'r gwartheg. Y lleuad yw'r tarw. Yr haul yw'r bugail.

Tudalen 89. *Golau leuad fel y dydd*. Eog yn dodwy wyau yn yr afon yw Sianco Dafydd. Dyma fersiwn arall o'r pos:

Golau leuad, golau dydd,
Ann Jac Dafydd yn ei hyd;
Aeth i'r nant i foddi plant,
Saith ugain ac wyth cant.

Tudalen 89. *Ci mawr, bolwyn, brych*. Enw'r ci yw Ych.

Tudalen 89. *Igam-ogam, ble'r ei di?* Bryn yn sgwrsio ag afon.

Tudalen 89. *Ni fu gennyf wyneb*. Ymbarél.

Tudalen 89. *Fy amser i ganu*. Y gog. 24 Mehefin (canol haf) yw dydd Gŵyl Ifan.

Tudalen 90. *Dyn bach, byr, bychan.* Eirinen.

Tudalen 90. *Hen wraig fach, den, den.* Eirinen.

Tudalen 90. *Clywch y tarw coch, cethin.* Taranau.

Tudalen 90. *Dwmbwl-dambwl draw'n y cwm.* Taranau.

Tudalen 90. *Ladi fach yn y nant.* Cragen.

Tudalen 90. *Ladi wen fach yn byw yn y plas.* Cannwyll mewn llusern.

Tudalen 90. *Dwmbwl-dambwl draw'n y coed.* Caseg ac ebol.

Tudalen 90. *Dwmbwr-dambar draw'n y siambar.* Dwy law yn godro pedair teth buwch.

Tudalen 91. *Dwmbwr-dambar lawr trwy'r sta'r.* Mêl.

Tudalen 91. *Du, du, fel y frân.* Padell ffrio.

Tudalen 91. *Dicwm dacwm, dacw fe.* Bys.

Tudalen 91. *Fe aned plentyn yn Llan-gan.* Merch.

Tudalen 92. *Clymau tafod.* Mae cred bod clymau tafod yn gwella igian.

Tudalen 92. *Dwy ŵydd radlon.* Dyma fersiwn arall:

> Dwy ŵydd lwyd, lon, radlon
> Yn pori ar lan Cors Einon,
> Mor rhadlonaidd ddwy ŵydd lwyd, lon, radlon
> Â'th ddwy ŵydd lwyd, lon, radlon dithau.

Tudalen 92. *Llanbedr-ar-fynydd a Llanbedr-y-fro.* Pentrefi ym Mro Morgannwg yw'r rhain. Felly nid Casnewydd-ar-Wysg yw'r Cas'newydd a enwir ond Y Castellnewydd, ger Pen-y-bont ar Ogwr.

Tudalen 94. *Bwrddwn, barddwn.* Gêm yw hon lle mae un chwaraewr yn ceisio dyfalu ym mha law mae'r chwaraewr arall wedi cuddio rhywbeth. Wrth adrodd pob sillaf acennog bydd y chwaraewr cyntaf yn taro dwylo'r llall yn eu tro. Weithiau chwaraeir y gêm hon i benderfynu pwy sydd i ddechrau gêm, neu bwy sydd i gymryd tasg annymunol. (Wrth lunio'r nodiadau ar yr adran *Chwaraeon* defnyddiwyd yn arbennig lyfr D. Parry-Jones, *Welsh Children's Games and Pastimes*, Gee & Son, 1964.)

Tudalen 94. *Carreg o'r nant wnaiff Iant.* Enghraifft yw hyn o'r chwarae a elwid "crambo". Roedd disgwyl i bob chwaraewr ychwanegu llinell ag odl ynddi, a'r llinell honno, os oedd modd, yn mynegi syniad gwrthun.

Tudalen 94. *Dyma dy fara di.* Pennill a ddywedai plentyn wrth geisio profi ei feistrolaeth ar blentyn arall. Wrth ddweud y geiriau, byddai'n dal ei ddwrn dan drwyn y llall.

Tudalen 94. *Herc i herc, mi dorrais fy nghlun.* Perthyn y pennill hwn i gêm a chwaraeid gan ferched yn bennaf. Byddai'r hon a gymerai ran yr iâr yn hercian ar un goes o flaen y plant eraill ac yn adrodd y pennill. Yna byddai'r lleill yn cuddio eu hosanau ac yn gofyn iddi beth oedd lliw hosanau'r cyw! Petai'r iâr yn rhoi ateb cywir, câi gyw yn ôl, ac ar ôl iddi eu hennill i gyd byddai ei thro hi fel iâr yn dod i ben.

Tudalen 94. *Un, dau, eto tri.* Cenid y pennill hwn gan blant ym Morgannwg wrth chwarae "Si-long, silongad", sef chwarae ar y siglen.

Tudalen 94. *Un, dau, torri cnau.* Pennill i helpu plentyn i ddysgu rhifo. Fe'i cenid hefyd wrth chwarae "Si-long, silongad".

Tudalen 95. *Cosi ar y llygad dde.* Dyma fersiwn arall:

> Cosi ar y llygad dde
> Ddaw â llwyddiant ym mhob lle;
> Cosi ar y llygad chwith,
> Ni ddaw llwyddiant i ni byth.

Tudalen 95. *Piogen wen, piogen ddu.* Dyma a ddywed Evan Isaac yn *Coelion Cymru* (Gwasg Aberystwyth, 1938): ". . . peth anlwcus iawn ydyw i biogen groesi'r ffordd o'ch blaen – yr unig fodd i osgoi anffawd ydyw sefyll yn sydyn, gwneud croes â'r droed, a phoeri, ac yna ddywedyd: 'Piogen wen, piogen ddu;/Lwc i mi.'" Dyfais draddodiadol i ddod â lwc neu i gadw anlwc draw ydyw poeri.

Tudalen 96. *Cyfrif allan.* Defod gyfarwydd cyn dechrau llawer gêm yw penderfynu pwy sydd i gymryd y dasg annymunol neu allweddol. Bydd un plentyn yn adrodd y rhigwm, ac wrth ynganu pob sillaf acennog, bydd yn cyfeirio â'i fys at un o'r chwaraewyr, pob un yn ei dro. Weithiau adroddir y rhigwm unwaith, a'r plentyn a â allan a gaiff y dasg. Bryd arall adroddir y rhigwm sawl gwaith, a'r dasg yn mynd i'r plentyn olaf sydd ar ôl heb fynd allan.

Tudalen 97. *Dannedd.* Arferai plant adrodd rhai o'r rhigymau hyn wrth daflu dant rhydd dros eu hysgwydd – yr ysgwydd chwith yn ôl un gred – er mwyn i ddant gwyn, da, dyfu yn ei le, neu er mwyn lwc. Buddsoddiad callach erbyn heddiw, mae'n debyg, yw dodi'r dant o dan y gobennydd er mwyn i'r tylwyth teg gael talu amdano.

Tudalen 97. *Iâr ddu, iâr wen.* Dyma ddau fersiwn arall:

Brân ddu, brân wen,
Taflu 'nant dros fy mhen.

Amen, person pren,
Taflu 'nant dros fy mhen.

Tudalen 98. *Y Bala aeth, a'r Bala aiff.* "Yn llyn": hynny yw, o dan ddyfroedd Llyn Tegid. Mae chwedl adnabyddus am hen dref y Bala yn cael ei boddi ganrifoedd lawer yn ôl, a'r awgrym yw y bydd y dref bresennol yn cwrdd â'r un dynged yn y dyfodol.

Tudalen 98. *Ym Meddgelert mae y Glaslyn.* Cyfeirio y mae'r pennill at y chwedl enwog am Gelert, milgi Llywelyn Fawr (Llywelyn ap Iorwerth, 1173–1240), yn achub plentyn y tywysog rhag cael ei ladd gan flaidd. Pan ddychwelodd Llywelyn, cafodd y crud yn llyn o waed. Gan gredu bod y milgi wedi lladd y baban, lladdodd yntau'r milgi. Yna darganfu'r plentyn yn fyw ac yn iach, ac mai gwaed y blaidd marw oedd ar y crud. Mae fersiynau o'r stori i'w cael mewn sawl gwlad, ac roedd ffurf arni'n adnabyddus yng Nghymru flynyddoedd cyn amser Llywelyn.

Tudalen 99. *Pedwar llew tew.* Priodolir y pennill i'r Bardd Cocos (John Evans, Porthaethwy, 1827?–1895). Gwelir y llewod ar Bont Britannia, sy'n cysylltu Ynys Môn a'r tir mawr. Ceir dau gyfieithiad i'r Saesneg o'r rhigwm ar lafar gwlad, sef:

Two fat lions, without any hair,
One over here and one over there.

Two lions fat, lying on their flat,
One over there and one over that.

Tudalen 99. *Mi af i lawr i Milffwrd.* Llong ryfel ag iddi saith deg pedwar o ynnau oedd y *seventy-four.*

Tudalen 99. *Mae yn y Bala flawd ar werth.* Mewn fersiwn arall ceir "Barcutan wedi boddi" yn lle "Ddwy ffynnon lân i 'molchi."

Tudalen 99. *Mi welaf bont y Tyra.* Mae'r gân yn enghraifft (anghyflawn, mae'n debyg) o'r canu a elwid "pwnco". Ar fore priodas, byddai criw o gyfeillion y priodfab yn mynd i dŷ'r briodferch ac yn ymryson ar gân â'r rhai y tu mewn i'r tŷ cyn yr agorid y drws iddynt a chaniatáu i'r ferch fynd i'w phriodas. Cyfeillion y briodferch a ganai gyntaf; cyfeillion y llanc yn ateb; ac yn y blaen am bump neu ragor o benillion i gyd, ar fesur triban fel rheol, nes bod plaid y ferch yn ildio ac yn agor y drws. Y cystadlu hwn, bob eilwers, ar gân a phennill, oedd y "pwnco", ac fe welir y tebygrwydd rhwng yr arfer hwn a defod y Fari Lwyd. Yn aml, defnyddid yr un penillion ar gyfer mwy nag un briodas. Mae'r llinell "Caf fyw ym Mhentreclwyda" yn ddiweddglo digon twt ar y ddadl. Yn ardal Cwm Nedd y mae'r lleoedd a enwir yn y penillion hyn, a chysylltir yr arfer yn arbennig â Morgannwg. Ond ceid amrywiadau arno mewn rhannau eraill o Dde Cymru.

Tudalen 100. *Ding dong bele,/Tair cloch Clyde.* Lleoedd yng nghyffiniau tref Aberteifi sydd yn y pennill hwn. Ceir fersiwn ychydig yn wahanol lle mae'r chwe llinell olaf yn newid fel a ganlyn:

Tair cloch leder
Yn Llangeler;
Llefain a gweiddi
Yn Aberteifi;
Lladd a llosgi
Yng Nghastellnewy'.

Tudalen 100. *Mae castell yng Nghaerffili.* Mae "Piccadilly" yn enw ar dafarn, heb fod ymhell o'r castell. "Chwarae whic": chwarae mig, chwarae ymguddio.

Tudalen 100. *Llan-faes, Llan-fair, Trefflemin.* Lleoedd ym Mro Morgannwg a enwir yn y pennill hwn.

Tudalen 102. *Fe glywais ddwedyd echdoe'r bore.* Mae'r gerdd hon yn adnabyddus fel cân werin. "Torri cefn": torri'r ŷd sy'n tyfu ar gefn o dir âr. "Car": yn yr hen ystyr o "sled" neu "gert"; nid "car modur".

Tudalen 104. *Mi welais ferch yn godro.* Dyma fersiwn arall:

Mi welais ferch yn godro
Â menig am ei dwylo,
Yn sychu'r llaeth yng nghwr ei chrys,
A merch Dai Rhys oedd honno.

Tudalen 104. *Mi welais innau falwen goch.* Wele bennill cyffelyb:

Gwelais 'sgyfarnog gota goch
Â dwy gloch wrth ei chlustiau,
Dau faen melin arni'n bwn
Yn pletio'r milgwn gorau.

Tudalen 105. *Gwelais neithiwr trwy fy hun/Lanciau Llangwm bod ag un.* "Llanciau Llanfor" mewn fersiwn arall.

Tudalen 105. *Mi welais bili-pala.* "Castell Crosha": Castell Cyfarthfa ym Merthyr Tudful, a adeiladwyd yn 1825 gan William Crawshay, un o'r teulu enwog o feistri haearn yn y dref.

Tudalen 107. *Mi welais long yn hwylio.* Cyhoeddwyd y gerdd hon gyntaf yng nghasgliad O.M. Edwards, *Hwian-Gerddi Cymraeg.* Ceir nodyn yn hwnnw bod nifer o'r cerddi wedi eu hysgrifennu ar gyfer y casgliad, ac mae'n bur debyg bod hon yn un ohonynt. Addasiad yw o'r Saesneg, *I saw a ship a-sailing.*

Tudalen 109. *Petasai'r Eidda'n fara gwyn.* Ceir nifer o amrywiadau ar y llinell gyntaf, e.e. "Petai Moel Fama'n fara gwyn".

Tudalen 109. *Dwmpi Dampi aeth i neidio.* Nid anodd gweld y berthynas rhwng y pennill hwn a *Humpty Dumpty.* Mae'r pennill yn cynnwys pos: Pam na ellir dodi Dwmpi Dampi ynghyd? Oherwydd mai wy ydyw.

Tudalen 112. *Seren ddu a mwnci.* Mae "Seren" yn enw cyffredin ar gaseg. Arferid rhoi addurn ar lun seren ar dalcen ceffyl nid yn unig er mwyn harddwch ond hefyd i ddychryn ysbrydion drwg. Nid anifail ond rhan o harnais y ceffyl yw'r "mwnci", sef dau ddarn crwm o bren neu fetel a ffurfiai ran o goler ceffyl gwedd.

Mynegai i'r Llinellau Cyntaf

A
A glywaist ti *42*
A sydd am afal *84*
Abergwesyn, cosyn coch *99*
Ac hosan ddu, coes un ddel *92*
Aderyn y bwn o'r banna' *47*
Adre, adre am y cynta' *79*
Aeth fy Ngwen i ffair Pwllheli *67*
Aeth hen wraig i'r dre i brynu pen tarw *73*
Aeth y broga ma's i rodio *44*
Amen, person pren *113*
Ann, Ann, merch ei mam *28*
Ar drot, ar drot, i dŷ Siôn Pot *21*
Ar drot, ar drot i'r dre *21*
Ar drot, ar drot, tua'r Dre-fach *21*
Ar garlam, ar garlam, i ffair Abergele *19*
Ar ôl bod yn ferch ifanc *62*
Ar ôl priodi fe ddaw tlodi *62*
Ar y ffordd wrth fynd i Gorwen *106*
Ar y ffordd wrth fynd i Lerpwl *106*
Ar y ffordd wrth fynd i Lunden *106*
Ar y ffordd wrth fynd i Ruthun/Gwelais ddyn yn gwerthu brethyn *107*
Ar y ffordd wrth fynd i Ruthun/Gwelais ddyn yn gyrru mochyn *107*
Ar y ffordd wrth fynd i Wrecsam/Gwelais ddyn yn bwyta wicsan *106*
Ar y ffordd wrth fynd i Wrecsam/Gwelais wraig yn bwyta wicsan *106*
Ar y ffordd wrth fynd i'r Betws/Gwelais ddyn yn plannu tatws *106*
Ar y ffordd wrth fynd i'r Betws/Gwelais wraig yn codi tatws *106*
Ar y ffordd wrth fynd i'r dre *106*
Ash is onnen, *oak is* derwen *87*
Awyr goch y bore *80*

B
Bachgen bach o dincer *64*
Bachgen bach o Ddowlais *64*
Bachgen bach o Felin-y-wig *64*
Bachgen bach yw'r bachgen gore *23*
Bachgen da ydi Dafydd *28*
Bachgen drwg o dwll y mwg *65*
"Be' ydi dy oed di?" *97*
Bele, bele, bele, boc *40*
Beni beni *14*
Besi fach a minnau *55*
Beti Bwt a aeth i gorddi *67*
Beti Bwt ystadlu *65*
Beth sy'n mynd i Lunden *88*
Beth wneir â merch benchwiban? *91*
Beth yw ffynnon wen lefrith *88*
Bili bach a minne *56*
Bilsi, balsi, bysedd a'r dde *96*
"Blac patan, blac patan *44*
"Ble mae cwrcyn Modryb Mali?" *37*
"Ble mae Mam-gu?" *24*
Ble ti'n mynd, ble ti'n mynd *45*
Blwyddyn newydd dda i chi/Ac i bawb sydd yn y tŷ *76*
Blwyddyn newydd dda i chi,/Holl deulu llon *77*
Blwyddyn newydd dda i chi, bawb trwy'r tŷ *77*
Blwyddyn newydd ddrwg *77*
Bob is Robert, Jack is John *87*
Bonheddwr mawr o'r Bala *75*
Bowden *14*
Brân ddu ar dip Waunfawr *95*
Bu farw cath Doli *37*
Bûm yn byw yn gynnil, gynnil *63*
Buwch goch gota *80*
Bwci Bal yn y wal *79*
Bwch gafr Gwnys *40*
Bwgan bo lol a thwll yn ei fol *79*
Bwrddwn, barddwn *94*
Bys du, bys cam, bys feri fongam *96*
Bys i fyny *83*
Bys twmpyn *14*

C
Cadi-mi-dawns yn dawnsio *112*
Caf innau ddillad newydd *29*
Calennig i mi, calennig i'r ffon *76*
Calennig rwy'n 'mofyn *77*
Calennig yn gyfan *76*
Cant o deirw corndwb *109*
Carreg o'r nant wnaiff Iant *94*
Caseg winau, coesau gwynion *92*
Cath ddu i gadw'r gofid ma's o'r tŷ *37*
Cath nid yw ei bath yn bod *37*
Cawod ar y llanw *83*
Ceiliog bach y dandi *43*
Ceiliog bach yr Wyddfa *43*
Ceiliog gwyn na chath ddu *43*
Chandler coch canhwyllau *68*
Ci a chath a chyw a chywen *69*
Ci mawr, bolwyn, brych *89*
Ci mowr a chi bach yn *go to* wmla' *35*
Clap, clap, gofyn wy *78*
Cliriwch y stryd *74*
Clywch y tarw coch, cethin *90*
Cnoc ar y drws *15*
Codwch yn fore, cynnwch y tân *76*
Corddi, corddi, gwraig Siôn Harri *113*
Cosi ar eich penelin chwith *95*
Cosi ar y llygad dde *95*
Cream is hufen, *milk is* lla'th *87*
Crio, crio, crio *48*
Cwcw Clamai, cosyn dimai *48*
"Cw-cw," medd y gog *48*
Cwch bach ar y môr *69*
Cwch bach yn nofio *69*
Cynwyl Elfed *101*
Cysga bei, babi *23*
Cysga di, fy mhlentyn tlws *22*

Ch
Chwannen a lleuen yn eistedd wrth y tân *44*
Chwarelwr oedd fy nhaid *30*

D
Da boch! Mae'n un o'r gloch *97*
Dacw Dadi'n mynd i'r ffair *27*
Dacw dŷ a dacw do *69*
Dacw dŷ a dacw do *69*
Dacw 'nghariad yn y dyffryn *61*
Dacw long yn hwylio'n hwylus *59*
Dacw Mam yn dŵad/Ar ben y gamfa wen *26*
Dacw Mam yn dŵad/Wrth y garreg wen *26*
Dacw Nhad yn naddu *31*
Dacw rosys ar y bryn *78*
Dacw Tada'n gyrru'r moch *27*
Dafi bach a minnau/Yn mynd i Aberdâr *54*
Dafi bach a minnau/Yn mynd i ffair y dre *54*
Dafi bach a minnau/Yn mynd i'r Mynydd Du *55*
Dafi bach a minnau/Yn myned i Gaerdydd *54*
Dafi Siencyn Morgan *70*
Daint melys i'r gath *97*
Dandi di, dandi do *28*
Dant du, du i'r ci *97*
Dau droed bach yn mynd i'r felin *29*
Dau gi bach yn mynd i'r coed/Dan droi'u fferau, dan droi'u troed *34*
Dau gi bach yn mynd i'r coed,/Esgid newydd am bob troed *34*
Dau lanc ifanc aeth i garu *60*
Dau lanc ifanc yn mynd i garu *60*
Daw Clame, daw Clame *78*

Daw dydd Sadwrn, daw dydd Sul *65*
Dere, Pegi, cwn yn wisgi *31*
Deryn bach ar ben y pren *45*
Deryn y bwn o'r banna' *47*
Deuddeg hen fenyw a deuddeg hen ddyn *88*
Dic Golt a gysgodd yn y cart *66*
Dicwm dacwm *92*
Dicwm dacwm, dacw fe *91*
Difyr yw hwyaid yn nofio ar y llyn *43*
Ding dong bele,/Canu cloch 'Bertawe *98*
Ding dong bele,/Tair cloch Clyde *100*
Di-ling, di-ling, pwdin yn brin *33*
Dim help nid oes, fy mhen sydd wan *87*
Diolch yn fawr am dŷ a thân *33*
Dir caton pawb *33*
Do, fe brynais gyllell ddima' *100*
"Doctor Sbectol *68*
Dôl las, lydan *89*
Dorti, Dorti, bara gwyn yn llosgi *32*
Dos i'th wely rŵan *23*
"Dryw, dryw, dryw *46*
Du, du, fel y frân *91*
Dwmbwl-dambwl draw'n y coed *90*
Dwmbwl-dambwl draw'n y cwm *90*
Dwmbwr-dambar draw'n y siambar *90*
Dwmbwr-dambar lawr trwy'r sta'r *91*
Dwmpi Dampi aeth i neidio *109*
Dwy frân ddu *95*
Dwy ŵydd radlon *92*
Dydd Gwener a dydd Sadwrn *27*
Dydd Mawrth Ynyd *78*
Dyma dy fara di *94*
Dyma'r flwyddyn wedi dod *76*
Dyma'r ffordd i Feidrim *101*
Dyn bach byr, bychan *90*

DD

"Ddoi di i'r coed?" medd Bibyn wrth Bobyn *46*
"Ddoi di i'r mynydd?" meddai'r fawd *14*

E

Egg is wy, *chick is* cyw *87*
Eglwys fach Pencarreg *99*
Enfys y bore *80*
Eye is llygad, *hand is* llaw *87*

F

"Faint ydi o'r gloch?" *97*
Fe aeth Gwen ryw fore i odro *67*
Fe aned plentyn yn Llan-gan *91*
Fe ddaw Gŵyl Fair, fe ddaw Gŵyl Ddewi *78*
Fe ddetwas wi heddi' *42*
Fe glywais ddwedyd echdoe'r bore *102*
Fe gwympodd Mari Rhydwb *67*
Fe neidiodd llyffant ar un naid *44*
Feni feni,/Cefnder feni feni *14*
Feni feni,/Cefnder iddi *14*
Fini fini fawd *14*
"Fuost ti erioed yn morio?" *109*
Fy amser i ganu *89*
Fyn di fantell, asgwrn, asgell *96*

G

Galop ar galop, a'r asyn ar drot *19*
Gee, geffyl bach, yn cario ni'n dau *20*
Gee-up, gee-up, ar gefn y ci *109*
Glaw, glaw, cer ffordd draw *82*
Golau leuad fel y dydd *89*
Gruffydd Elis, druan dro *66*
Gweirglodd las, lydan *89*
Gwelais neithiwr trwy fy hun/Dair gwlad yn mynd yn un *105*
Gwelais neithiwr trwy fy hun/Lanciau Llangwm bod ag un *105*
Gweld oen du *95*
Gwern a helyg *80*
Gŵydd o flaen gŵydd *88*
Gŵyl Fair ddiwetha' yr es oddi yma *45*
Gwynt a glaw *83*
Gyrru, gyrru, drot i'r dre *18*
Gyrru, gyrru, drot i'r ffair *18*
Gyrru, gyrru, gyrru *21*
Gyrru, gyrru, gyrru i Gaer *18*
Gyrru, gyrru i ffair Henfeddau *18*
Gyrru, gyrru i ffair y dre *18*
Gyrru, gyrru i ffair y Fenni *18*
Gyrru, gyrru i ffair y Rhos/I 'mofyn tamaid bach o do's *18*
Gyrru, gyrru i ffair y Rhos,/Mynd cyn dydd a dod cyn nos *18*
Gyrru, gyrru i Gasnewydd *19*

H

Hai ding a ding diri *32*
Hai ding diri diri dawn *43*
Hai ding y deri *38*
Hai dingi deri *32*
Hai, gel bach, tua Chaerdydd *20*
Hai gel i'r dre, hai gel adre *19*
Hai li lwli twrgi mwrgi *43*
Hai'r ceffyl bach i ffair y Bont-faen *19*
Hala, hala, tua'r dre *19*
Hands is dwylo, *gloves is* menig *87*
Hanner pwys o glust y gath *110*
Hearth is aelwyd, *fire is* tân *87*
Hen deiliwr â'i slibwrt yn cerdded yn glic *44*
Hen dŷ, hen do,/Hen bobol ynddo *73*
Hen dŷ, hen do,/Hen ddrws heb ddim clo *73*
Hen ddant i'r ci *97*
Hen fenyw fach Cydweli *72*
Hen fenyw fach o'r North *72*
Hen wraig fach â basged o wye *15*
Hen wraig fach ar ben y garreg olchi *73*
Hen wraig fach den, den *90*
Hen wraig fach o ymyl Rhuthun *73*
Hen wraig fach yn bwyta pennog *72*
Hen wraig fach yn byw dan y gogor *73*
Hen wraig fach yn gyrru gwyddau *72*
Hen wraig fach yn mynd trwy'r plwy' *72*
Hen wraig fach yn rhoi llaeth i'r llo *15*
Hen wraig fach yn y gornel *72*
Hen wraig yn pluo gwyddau *81*
Heno, heno, hen blant bach *23*
Herc i herc, mi dorrais fy nghlun *94*
Hob y deri dando *68*
Hosi bei, babi gwan *22*
House is tŷ, *mill is* melin *87*
Howtsh i gel bach sy'n cario ni'n dau *20*
Hwch ddu gwta *79*
Hw-hw-hw *49*
Hwyad a marlat a neidr y dŵr *87*

I

"I ble ti'n mynd heddi', deryn bach syw?" *45*
Iâr ddu, iâr wen *97*
Iâr fach bert yw fy iâr fach i *42*
Iâr fach wen *43*
Ifan bach a minnau/Yn mynd i ddŵr y môr *55*
Ifan bach a minnau/Yn mynd i Lundain Glamai *56*
Ifan bach a minnau/Yn mynd i werthu pinnau *57*
Ifan bach a minne/Yn mynd i Lunden Glame *56*

Ifan bach a minne/Yn mynd i Lunden Glame *56*
"Igam-ogam, ble'r ei di?" *89*
Iw, iw, dŵr a bliw *27*

J
Jac bach y pentref *74*
Ji-binc, ji-binc, ar ben y banc *49*
Jim Cro Crystyn, torri pen y stenyn *112*
Jini, jini flewog *81*

L
Ladi fach benfelen *58*
Ladi fach yn y nant *90*
Ladi wen fach yn byw yn y plas *90*
Ladis bach y pentre *65*
Ladis y dans yn dawnsio *112*
Lewis Lewis *74*
Lodes ei mam a lodes ei thad *29*

Ll
Llanbedr-ar-fynydd a Llanbedr-y-fro *92*
Llan-faes, Llan-fair, Trefflemin *100*
Llan-llwch a fu *99*
Lleuad yn olau *112*
Lleuen, lleuen, lleuen *44*
Llidiart newydd ar gae ceirch *78*
Llifio, llifio *16*
Llifio, llifio coed Llandeilo *16*
Llifio, llifio, llifio'n dynn *16*
Llifio, llifio, Wil mab Ianto *16*
Llywelyn bach a minnau *57*

M
Mae baba bach a minne *61*
Mae castell yng Nghaerffili *100*
Mae cwrcath bach glas gyda'n cath las ni *92*
Mae chwil y baw yn canu *80*
Mae danadl yn bethau poeth *95*
Mae gen i/Geffyl yn pori *86*
Mae gen i/Un gaseg yn pori *86*
Mae gen i ac mae gan lawer *80*
Mae gen i bâr o glocs *51*
Mae gen i bedair o gariada' *60*
Mae gen i darw nawpen *108*
Mae gen i darw penwyn *53*
Mae gen i dipyn o dŷ bach tlws *50*
Mae gen i dorth yn y tŷ *101*
Mae gen i drol a cheffyl *52*
Mae gen i dŷ fy hunan *50*
Mae gen i ddafad gorniog *40*
Mae gen i ddresel o'r dre *50*
Mae gen i ebol melyn/A merlen newydd sbon *53*
Mae gen i ebol melyn/O gwmpas tair blwydd oed *38*
Mae gen i ebol melyn/Yn codi'n bedair oed *38*
Mae gen i ebol melyn/Yn codi'n bedair oed *39*
Mae gen i edefyn sidan *53*
Mae gen i fegin newydd *50*
Mae gen i fochyn bychan *53*
Mae gen i fuwch â dau gorn arian *108*
Mae gen i gant o ddefaid *53*
Mae gen i gant o wyddau *53*
Mae gen i ganu byr bach *111*
Mae gen i gariad fechan siort *61*
Mae gen i gariad yn y Fro *60*
Mae gen i gath ddu 'fu erioed ei bath hi *36*
Mae gen i gwpwrdd cornel/A set o lestri te *50*
Mae gen i gwpwrdd cornel/A'i lond o lestri te *50*
Mae gen i hen iâr dwrci *108*
Mae gen i iâr a cheiliog/A brynais ar ddydd Iau *108*
Mae gen i iâr a cheiliog/A hwch a mochyn tew *53*
Mae gen i iâr, mae gen i geiliog *53*
Mae gen i iâr yn eistedd *42*
Mae gen i saith o bethau *103*
Mae gen i 'sgidiau byclau *51*
Mae gen i stori fach berta'n y byd *111*
Mae 'ngharaid i 'leni yn byw'n y tŷ fry *59*
Mae heddiw'n ddydd Sadwrn *38*
Mae heno'n nos Glangaea',/A bwci ar bob camfa *79*
Mae heno'n nos Glangaea',/Mae'n bwrw glaw ac eira *79*
Mae 'mrawd yn hoffi bara chaws *111*

Mae yn y Bala flawd ar werth *99*
Mae'n bwrw glaw allan,/Mae'n braf yn y tŷ *82*
Mae'n bwrw glaw allan,/Mae'n deg yn y tŷ *82*
Mae'n bwrw glaw allan,/Mae'n hindda'n y tŷ *82*
Mae'n bwrw glaw, mae'n chwythu gwynt *82*
Mae'n bwrw glaw mân *82*
Mae'n dda gen i fuwch, mae'n dda gen i oen *59*
Mae'n o'r, mae'n o'r *100*
Maent yn dwedyd yn Llanrhaead' *109*
Mae'r ceffyl glas yn egwan *38*
Mae'r ceiliog coch yn canu *31*
Mam-gu, Mam-gu, ar gefn ei chi *24*
Mam-gu, Mam-gu, dewch ma's o'r tŷ *24*
Man is dyn, *glove is* maneg *87*
"Marc a Meurig, ble buoch chi'n pori?" *41*
Mari fach a minnau *55*
Mari fach a minne *57*
Mari fach, merch ei mam *28*
Mari John, ffidil a ffon *65*
Merched ffein *101*
Mi a' i Lanberis ddydd Sul nesa' *95*
Mi af i lawr i Milffwrd *99*
Mi af i'r eglwys ddydd Sul nesa' *58*
Mi af i'r ysgol 'fory *32*
Mi af oddi yma o gam i gam *25*
Mi es i Faesycroese *63*
Mi es i Lundain i ddysgu Saesneg *87*
Mi feddyliais ond priodi *62*
Mi fûm yn gweini tymor *63*
"Mi fynna' i gael ceiniog" *37*
Mi gwrddais â hen gel coch *38*
Mi welaf bont y Tyra *99*
Mi welais beth heddiw *73*
Mi welais beth na welodd pawb *105*
Mi welais bili-pala *105*
Mi welais ddwy gabetsen *104*
Mi welais ddwy lygoden/Yn cario pont Llangollen *104*
Mi welais ddwy lygoden/Yn llusgo pedair wagen *104*
Mi welais ddwy lygoden/Yn mynd i 'mofyn halen *104*
Mi welais Elin Parri *67*
Mi welais ferch yn godro *104*
Mi welais innau falwen goch *104*
Mi welais jac-y-do *104*
Mi welais long yn hwylio *107*
Mi welais nyth pioden *49*
Mi welais Wil o'r felin *105*
Mistar Tomos, druan *68*
Modryb Cati'r gwefla' *25*
Modryb Elin ennog *78*
Modryb Elin Pritchard *25*
Modryb Siân o'r Lleche *25*
Modryb Siwan â'r capan coch *25*
Modryb y fawd *14*
Modryb y fawd *14*
Mol, mol, agor dy gorn *44*
Morus y gwynt ac Ifan y glaw *83*
Mwlsyn, crystyn, torri pen deryn *112*
Mynd ar neges i dŷ'r goges *113*
Mynd i'r gwely'n gynnar, bois *33*

N
Nedi ddrwg o dwll y mwg *74*
Ni fu gennyf wyneb *89*
Nid oes gen i gyfoeth, a dwedyd i chi *30*
Nid oes gen i na buwch na dafad *63*
Niwl o'r mynydd *83*
Nos Glangaea', twco 'fala' *79*

O
"O gwcw, O gwcw, ble buost ti cyd *48*
O Mam, O Mam fach annwyl *29*
O Modryb, O Modryb! Hi daflodd ei chwd *25*
O Pali, rhowch y tegell ar y tân *32*
Oerni heb law *81*

Os digwydd im gael bachgan *61*
Os lladdwch chi'r robin goch *49*
Ow! Bili bach a minnau *54*
Ow! Deio bach a minnau *54*
Owen Goch o dan y castell *96*

P
Pais Dinogad, fraith fraith *13*
Pan brioda Siân a minnau *61*
Pan ddaw'r hafddydd *78*
Pan es i gynta' i garu *58*
Pan oedd y ci ryw noson *35*
Pandy, pandy, melin yn malu *112*
Pedoli, pedoli, pe-din *17*
Pedoli, pedoli, pedoli, pe-dinc,/Gwaith y gof bach â'i lygad blinc *17*
Pedoli, pedoli, pedoli, pe-dinc,/Mae'n rhaid inni bedoli *17*
Pedwar enw sydd ar y gath *36*
Pedwar llew tew *99*
Pegi Ban a aeth i olchi *67*
Petasai'r Eidda'n fara gwyn *109*
Pig is mochyn, *sow is* hwch *87*
Piogen wen, piogen ddu *95*
Pry' bach yn edrych am dwll *15*
"Pwsi Meri Mew *36*
"Pwsi Meri Mew *36*
"Pwsi Mew, Pwsi Mew *36*
Pwy fu farw? *111*

R
River is afon, *brook is* nant *87*
Robin dir-rip *74*
Robin goch ar ben y rhiniog *48*
Robin goch a'r dryw bach *48*
Robin goch ym mhlwy' Rhiwabon *48*
Roedd bwch yn nhroed yr Wyddfa *40*
Roedd ci Modryb Ann Tyn-y-coed *35*
Roedd gen i iâr yn gori/Ar ben y Frenni Fawr *42*
Roedd gen i iâr yn gori/Ar ben y Penmaen Mawr *42*
Rybelwr bychan ydwyf *30*

Rh
Rhowch galennig yn galonnog *77*
Rhowch y crochan ar y tân *110*

S
Saith o'r gloch, cawl ar tân *33*
Sawl pysgodyn ga'i am swllt? *88*
Seren ddu a mwnci *112*
Shigwti fach, shigwti *45*
Shigwti fach, shigwti *45*
Shinc a Ponc a minnau *57*
Shwd ych chi *97*
Shwd ych chi heddiw *97*
Siân fach annwyl, Siân fach i *22*
Siani fach a minna' *57*
Si hei li lwli'r babi *22*
Si hwi lwli lili lon *22*
Siôn a Siân a Siencyn *71*
Siôn a Siân o boptu'r tân *71*
Siôn a Siân oddeutu'r tân *71*
Siôn a Siani Siencyn *71*
Siôn i fyny, Siôn i waered *88*
Siôn Owen grwtyn *64*
Sioni bach, ŵr diflin *70*
Sioni bach y clocsiwr crwm *69*
Sioni brica moni *70*
Sioni go hir yn cerdded 'n go ddeir *44*
Sioni moni, coesau meinion *70*
Si-so gorniog *16*
Si-so, jac-y-do *16*
Si-so, jac-y-do *16*
Si-so, Marjorie Do *16*
Si-so, si-so *16*
Six and four is ten *37*
Stone is carreg, *step is* sta'r *87*
Stŵr, stâr, stydi, stinc *113*

T
Taid a Nain yn rhedeg ras *24*
Tair llygoden ddall *41*
Talala di, bara chaws *33*
Tam tadi, tam tadi, bu farw Mam-gu *24*
Tarw corniog, torri cyrnau *92*
Tebyg yw dy lais di'n canu *111*
Teiliwr du bach *69*
Titw Pws Mew *36*
Tomos Jones yn mynd i'r ffair *68*
Topsi, tipsi, brechdan a chig *33*
Trawsfynydd, hen le hyll *100*
Tri pheth a fedr Elis *70*
Troi a throsi, troi i ble? *101*
Trot, trot, mynd i'r dre *20*
Trot, trot, tua'r dre *20*
Trot, trot, tua'r dre *20*
Trwdi, Trwdi, benwen deg *41*
Twm tabwt *14*
Twm y rwm, yr afon ddu *113*
Twm yr Ieir aeth lawr i'r dre *68*
Tybaco bach, tybaco *26*
Tynged flin yw golchi dydd Llun *32*
Tylino, tylino, tylino torth wen *15*

U
Un, dau, eto tri *94*
Un, dau, torri cnau *94*
Un, dau, tri *86*
Ust O taw, ust O taw *22*
Ust, ust, llygoden fach yn gist *41*

W
Wanar yn twar yn ticar yn tan *96*
"Wel," meddai Wil wrth y wal *113*
"Wel, wel" *35*
Weli di'r gwynt, weli di'r glaw *70*
Welsoch chi Jini mewn difri? *65*
Welwch chi fi, welwch chi fi *34*
Whic a whiw *49*
Whilen bwmp, poera dy wa'd *44*
Whili bwmp, poera waed *44*
Wil ffal lal *66*
Wil ffril ffralog *66*
Wythnos ddwetha' ces hi'n galed *43*

Y
Y bachgen bochgoch â'r bochau brechdan *65*
Y Bala aeth, a'r Bala aiff *98*
Y ci mawr yn pobi, y ci bach yn corddi *35*
Y Cobler Coch o Ruddlan *68*
Y dyrnwr yn dyrnu *48*
Y fi yw top y tebot *63*
Y ffarmwr â'r aradr yn y tir *31*
Y lleuad wen, fain, olau *82*
Y pren ar y bryn *93*
Y sawl a dorro nyth pioden *49*
Y sawl a dorro nyth y binc *49*
Y sawl a dynno nyth ehedydd *49*
Y sawl a dynno nyth y dryw *49*
Y sawl a dynno nyth y frân *49*
Y sawl a dynno nyth y robin *49*
Y sawl a dynno nyth y wennol *49*
Ym Meddgelert mae y Glaslyn *98*
Ymlaen, geffyl bach, yn cario ni'n dau *20*
Yn Cross Hands y ces fy ngeni *101*
Yr wylan fach adnebydd *80*
Ysguthan gau, gau *46*

Mynegai Dethol i'r Enwau Lleoedd

Aberdâr 54
Abergele 19, 101
Aberglaslyn 25n, 43
Abergwaun 101
Abergwesyn 99
Abergwili 99
Aberhonddu 20, 41, 41n
Abermo 40
Abertawe 98, 99
Aberteifi 25, 66, 100, 100n
Yr Almaen 75n
Amlwch 46n

Y Bala 40, 60, 75, 98, 99
Banc Siôn Cwilt 82n
Beddgelert 43n, 98
Y Betws 98, 106
Blaenau Ffestiniog 100
Blaenau Morgannwg 60
Blaenllechau 67n
Y Bont-faen 19
Briton Ferry (Llansawel) 101
Bro Morgannwg 60, 100n

Caeo 38n, 68n
Caer 18, 18n, 47
Caerdydd 19, 20, 54, 104
Caerfyrddin 35n, 99, 101
Caerffili 20, 100
Caerloyw 104
Casnewydd 19
Castell Crosha 105
Y Castellnewydd (Morgannwg Ganol) 92
Castellnewydd Emlyn 100, 100n
Cefn-brith 19n
Ceredigion 82n
Cilgerran 100
Clydau 100
Cors Einon 92n
Corwen 44, 106
Cross Hands 101
Cwm Gogerddan 38
Cwm Nedd 79n, 99n
Cwm Rhondda 82n
Cwm-du (Morgannwg Ganol) 41n
Cydweli 72
Cyfarthfa 105
Cynwyl Elfed 101

Dinas Brân 99
Dolgellau 72
Dowlais 64, 64n
Dre-fach 21

Yr Eidda 109
Eil o Man (Ynys Manaw) 109
Elidir Fawr 42n

Felin-foel 54
Y Fenni 18, 18n
Y Frenni Fawr 42

Y Ffrith 19

Y Glaslyn 98
Gwent 42n, 42n, 44n, 64n
Gwynedd 78n

Henfeddau 18
Yr Hengoed 68n

Iwerddon 16, 42

Lerpwl 106

Llanbedr-ar-fynydd 92
Llanbedr-y-fro 92
Llanberis 95
Llandeilo 15, 16
Llandudoch 100
Llandybïe 15
Llandysul 66n
Llan-faes 100
Llan-fair 100
Llanfor 98, 105n
Llan-gan 91
Llangeler 100n
Llan-giwg 41n
Llangollen 44, 72, 102, 104
Llangrallo 16n
Llangrannog 70n
Llangwm 105
Llangyfelach 100
Llan-llwch 99
Llan-non 54
Llanrwst 19
Llanrhaeadr 109
Llansanffraid 44
Llanwenog 82n
Llanwynno 67n
Llanybydder 99
Llechryd 70n
Lletybrongu 41n
Llithfaen 40n
Lloegr 22, 70
Llundain 16, 26n, 44, 55, 56, 87, 88, 99, 104, 106
Llŷn 46n
Llyn Tegid 98n, 99

Marloes 46n
Mawddwy 68n, 99
Meidrim 101
Melin-y-wig 64
Menai 79n
Merthyr Tudful 64n, 105n
Milffwrd 99
Moel Fama 109n
Morgannwg 42n, 42n, 44n, 70, 70n, 79n, 94n
Y Mynydd Du 24, 55

Pen-boyr 100
Pencarreg 99
Penfro 68
Penmachno 41n
Penparcau 48
Pentreclwyda 99
Pen-y-bont ar Ogwr 92n
Pen-y-lan 38
Pontardawe 19
Pontypridd 19
Post-bach 82n
Preseli 35n
Pwllheli 67

Rheola 99
Rhiwabon 48
Y Rhos 18
Rhuddlan 68, 68n
Rhuthun 73, 107

Silstwn 100
Sir Benfro 46n
Sir y Fflint 71, 86

Teifi 99
Ton-teg 86
Trawsfynydd 100
Trefflemin 100
Tregaron 82n
Tre-lech 101
Tyra 99
Tyrol 72n

Unol Daleithiau America 26n
Uwchaled 25n

Virginia 26n

Waunfawr 95
Wrecsam 106
Yr Wyddfa 40, 42, 43, 47, 100, 109

Ynys Enlli 40
Ynys Môn 99n
Ysgyryd Fawr 42
Ystradyfodwg 67n

Geiriau Anghyfarwydd

Mae "n" yn dynodi bod esboniad o'r gair yn y rhan briodol o'r "Nodiadau".

A
asau *aswy*

B
baglog *â choesau hirion*
bara peilliaid *bara gwyn wedi'i wneud â blawd mân*
bargen *30n*
bastard mul *mul*
blac patan *chwilen ddu*
bliw *lliw glas a ddefnyddir wrth olchi dillad*
bo lol *bwgan*
bod ag un, bod ag un un *bob un*
brech: yn y frech *yn dioddef o glefyd ar y croen*
britis *clos pen-glin, "breeches"*
bwci *bwgan*
bys y cogwrn *bys canol*

C
car *102n*
cath goed *cath wyllt*; neu *ffwlbart*
cawell magu *crud*
cel *ceffyl*
cidys *sypiau o brysgwydd*
clemio *newynu*
clic *cyflym, heini*
cloben *rhywbeth mawr*
clwt (o dir) *llain o dir*
cocos *dannedd ar hyd ymyl olwyn, "cogs"*
codi cloch *codi'r llais*
coliog *yn llawn colion, sef y tyfiant garw ar flaenau gronynnau'r haidd*
copyn *y rhan o'r pen lle mae'r gwallt yn tyfu*
corndwb *â chyrn blaenbwl*
cowntis *30n*
crimp *wedi crebachu*
crop *byr*
cwnnu *codi*; cwn *cod (gorchymyn)*
cwta: hwch ddu gwta *hwch ddu heb gynffon*
cwtsh glo *y rhan o dŷ lle cedwir glo*

Ch
chwarae whic *chwarae mig, chwarae cuddio*
chwingam *ag ewin cam (?)*

D
dal; mi ddala' 'wech *betiaf chwecheiniog*
dandi: ceiliog dandi *math o geiliog lliwgar ac ymladdgar;* hefyd *dyn sy'n fursennaidd o falch o'i ymddangosiad a'i wisg*
deir *araf*
dwmbwl-dambwl, dwmbwr-dambar *geiriau dynwaredol yn awgrymu symud swnllyd, anhrefnus*
dwp-dwb *ymadrodd yn dynwared sŵn gwrthdaro*

E
engan *eingion*
eisin *plisg allanol caled grawn ŷd; fe'u tynnir ymaith wrth droi'r grawn yn flawd;* eisin sil *y plisg a gynhyrchir wrth buro ceirch*

Ff
ffal lal *lol, dwli*
ffril ffralog *penchwiban*
ffwrwm *mainc*

G
gain' *gaing, cŷn*
gwadan arad' *gwadn aradr; y darn gwastad ar waelod aradr, a'r swch yn ffitio am ei flaen*

H
hanc *torch*
het befar *59n*
hob y deri dando *enw alaw Gymreig; defnyddir yr ymadrodd hefyd i gyfeirio at berson di-ddal*
hosi bei *"hushaby"*
howtsh *gair a ddefnyddir i alw neu i annog ceffyl*
hun: trwy fy hun *yn fy nghwsg, mewn breuddwyd*

J
Jac-y-lantern *79n*
jini flewog *siani flewog, lindysyn*

L
labio *curo, taro*
locs *mwstas*

M
mol *malwoden*
morgan *tegell*
mwnci *112n*

O
our *aur*

P
piogen *pioden*
posïau *tuswau, "posies"*
poten *pwdin*
potiwr *crochenydd*
prinsys *30n*

R
rybelwr *30n*

S
sgilat *"skillet"; math o grochan bach metel ar gyfer coginio*
shigwti *siglen fraith, sigl-i-gwt (math o aderyn)*
sibwn *math o wniwn*
sioni go hir *abwydyn (?)*
siort *byr, "short"*
slempian *creu llanastr, gwasgaru baw*
slibwrt *44n*
squares 30n
stenyn *ysgadenyn*
stond *casgen agored, wedi'i gosod ar ei sefyll*

T
taflu: taflu ebol *esgor ar ebol*
tocyn *darn; e.e. tocyn (tafell) o fara*
towlad *taflod*
towlu *taflu*
triog *triagl*
twco *gwthio o dan ddŵr*
twll y mwg *y twll mewn simnai y cludir y mwg i fyny trwyddo*
tympan *drwm*

W
wad *rhywbeth mawr*
whîl: ar whîl *ar chwŷl, ar hynt;* neu efallai *ar olwynion ("wheel")*
whili bwmp *chwilen y bwm*
wi *wy*
wicsan (*lluosog* wics) *wicsen, pabwyr*
wmla' *ymladd*